SECRETOS ESPIRITUALES REVELADOS

RAIMON SAMSÓ

1ª edición: 21 diciembre 2020

Foto autor contracubierta: Berta Pahissa

Foto autor portada: Cristina Gabarró

Corrección contenido: Yolanda Martín

Diseño cubierta: Ryan Lause

Ilustraciónes interiores: autor, Unsplash, pixabay.

Ediciones Instituto Expertos ®

C/ Príncipe de Vergara 109 2º2º. Madrid 28002, España.

ISBN (versión de papel): 9798559356044

Ningún fragmento de este texto puede ser reproducido, transmitido ni digitalizado sin la autorización expresa del autor. La distribución de este libro a través de Internet o de cualquier otra vía sin el permiso del autor es ilegal y perseguible por la ley.

ÍNDICE

Introducción v

1. EL GRAN ENGAÑO 1
LA GRAN ESTAFA PLANETARIA 1
LOS AMOS DEL MUNDO 9
DESPERTAR A LA *MATRIX* 14

2. EL PLANETA GRANJA 23
LOS TÍTERES DE SUS AMOS 23
MEDIOS DE DESINFORMACIÓN 32
BIENVENIDO AL PLANETA CÁRCEL 36

3. LA ASCENSIÓN A 5D 39
QUÉ ES LA ASCENSIÓN 39
BENEFICIOS DE LA ASCENSIÓN 46
COMO ASCENDER A LA 5D 55

4. LA EXPERIENCIAS SON FRECUENCIAS 61
LA FORMA DEL SONIDO 61
AFINA TU VIBRACIÓN 67
VIBRANDO ALTO 74

5. PROTECCIÓN ENERGÉTICA 79
SHUNGITA, PIEDRA INTELIGENTE 79
AUTOPROTECCIÓN ESPIRITUAL 85
AYUDA DE LOS GUÍAS PERSONALES 96

6. INTUICIÓN DIVINA 101
CONECTA CON TU ALMA 101
CALIBRACIÓN KINESIOLÓGICA 107
LA BENDICIÓN DE LAS CRISIS 112

7. VIDENTE VE MI FUTURO, SOFRÓLOGO MI PASADO 117
UN PASEO POR EL FUTURO 117
UN PASEO POR EL PASADO 125
UN PASEO POR EL PRESENTE 128

8. RELACIONES CONSCIENTES 135
RELACIONES ENTRE EGO Y EGO 135
CURSO DE AMOR 141

9. LOS CÍRCULOS DE LAS COSECHAS 147
POSTALES DEL UNIVERSO 147

10. OVNILOGÍA 159
PORTALES ESTELARES 159
NO ESTAMOS SOLOS 169
NO SOMOS DE AQUÍ 179

Bibliografía 191
Conoce al Autor 193

INTRODUCCIÓN

He estado esperándote.

Has llegado a este libro porque nuestros caminos convergen en este punto y no es casual. Toma asiento a mi lado, pidamos un café o un té si eso te apetece más, porque vamos a tener algunas charlas de café. No sé si vamos a arreglar el mundo, ni tal vez nuestra vida, pero lo pasaremos divino.

Si estás en casa, prepárate tu té, tu infusión o tu café, te espero aquí. Yo tengo el mío listo, ¿puedes oler su aroma? Después, mientras se enfría un poco, podemos empezar a conversar.

Muchas personas me han escrito correos para pedirme tiempo conmigo, me invitan a un café. Lamentablemente he de declinar sus amables propuestas porque me pasaría más tiempo en las cafeterías que en mi mesa de trabajo, escribiendo libros. Espero que lo comprendan y no lo tomen como un desprecio.

En los diez capítulos de este libro escribo sobre los temas de los que seguramente hablaríamos si tuviéramos esa cita en una cafetería. A no ser que tú sacaras otro tema, yo sacaría los que aquí quedan escritos. Se trata de conversaciones privadas, no públicas, y en ese entorno de corta distancia hasta las ideas más locas pueden ser tratadas. ¿Te atreves a estirar tus actuales paradigmas?

Lo que leerás no es un secreto para todos, pues las verdades espirituales están escritas desde cientos o miles de años. Lo que sigue son solo mis secretos, lo que me ha funcionado pero no he mostrado hasta la fecha. No esperes algo que no sabías ya, sino aspectos que desconocías de mi forma de vivir la vida. Espera, entonces, confidencias que no he plasmado en mis anteriores libros.

Algunas personas se sorprenderán de que toque temas delicados en este libro, no tiene más importancia, son charlas de cafetería informales entre tú y yo. Todos saben que me gusta provocar a la mente para sacudirla y despertarla. Lo que sigue no está en la línea del «consenso», esa camisa de fuerza que adoctrina a las masas. Pero los que me conocen ya saben que voy contracorriente.

Lo bueno de haber tenido cierto éxito —y tener los asuntos mundanales resueltos— es que no tratas de agradar a nadie, ni te importa el qué dirán. Yo ya he jugado mi partido y lo he ganado; por eso puedo permitirme hablar claramente como hago en este libro. Ya he cumplido más de sesenta años, no tengo nada que demostrar a nadie y eso me libera del que dirán y del qué pensarán. Son cosas que me importan bien poco; mas bien, nada de nada.

Espero que los diez temas que elegí te resulten interesantes y si no, siempre tendremos oportunidad de tomar otro café y tratar otros asuntos. Son diez secretos de mi experiencia personal, no digo nada que no sepan muchos. Me he limitado a escribir lo que me guardé en secreto para mí. Es tiempo de desvelarlo, porque si no es ahora ¿cuándo?

Este es un libro de charlas de café donde expongo mis opiniones nada más, mis secretos revelados. Es mi cosmovisión, sea real o no, es mi *verdad* al menos por el momento. No tienes porque estar de acuerdo ni aceptarlo. Lo importante es que tú tengas la tuya. Y que ni tú ni yo aceptemos sin más la verdad oficial que nos quieren imponer de buen grado o a la fuerza.

Nota: Sometí al test de calibración el contenido que vas a leer. A través del test kinesiológico, obtuve que el promedio de los diez capítulos calibran a nivel 500 sobre 1.000. Esto significa que este libro está al nivel del Amor incondicional, inmutable y permanente como estado del ser.

Mapa de la Conciencia del Dr. David R. Hawkins

	Visión de Dios	Visión de la Vida	Nivel de Conciencia	Nivel de Calibración Logaritmo	Emoción	Proceso Experiencia de Vida	
PODER	Ser Interno	Es	Iluminación	700 - 1.000	Indescriptible	Conciencia Pura	
PODER	Ser Universal	Perfecta	Paz	600	Éxtasis	Iluminación	
PODER	Uno	Completa	Alegría	540	Serenidad	Transfiguración	
PODER	Amoroso	Benigna	Amor	500	Veneración	Revelación	Salto a la iluminación
PODER	Sabio	Significativa	Razón	400	Comprensión	Abstracción	
PODER	Misericordioso	Armoniosa	Aceptación	350	Perdón	Trascendencia	
PODER	Edificante	Esperanzadora	Voluntad	310	Optimismo	Intención	
PODER	Consentidor	Satisfactoria	Neutralidad	250	Confianza	Liberación	
FUERZA	Permisivo	Factible	Coraje	200	Consentimiento	Empoderamiento	Salto al poder
FUERZA	Indiferente	Exigente	Orgullo	175	Desprecio	Engreimiento	
FUERZA	Vengativo	Antagonista	Ira	150	Odio	Agresión	
FUERZA	Negativo	Decepcionante	Deseo	125	Anhelo	Esclavitud	
FUERZA	Castigador	Atemorizante	Temor	100	Ansiedad	Retraimiento	
FUERZA	Altivo	Trágica	Sufrimiento	75	Remordimiento	Desaliento	
FUERZA	Censurador	Desesperanzadora	Apatía	50	Desesperación	Renuncia	
FUERZA	Vindicativo	Maligna	Culpa	30	Culpa	Destrucción	
FUERZA	Desdeñoso	Miserable	Vergüenza	20	Humillación	Eliminación	

Desglose: más allá del nivel de la razón (calibración 450, dos capítulos a ese nivel) y más allá del nivel del corazón (calibración 500, ocho capítulos lo igualan o superan).

El mínimo que debemos pedirnos como especie es 200, la frontera entre la fuerza bruta y el poder interno.

Raimon Samsó, autor

www.raimonsamso.com

1

EL GRAN ENGAÑO

LA GRAN ESTAFA PLANETARIA

Supongamos que vas a un concesionario de automóviles a comprar un modelo nuevo de gama alta. Entras con un cheque para pagarlo. Una hora después sales sin tu cheque, conduciendo un utilitario de baja gama y encima de segunda mano. Pagaste por un vehículo de lujo con todos los extras, pero te conformas con una *cafetera* con ruedas. Como siempre, las palabras van por un lado y los hechos por otro, promesas incumplidas. Te han estafado.

Supongamos que trabajas todo el «santo día» para pagar tus cuentas familiares. No te explicas cómo está todo tan caro, cómo pueden subir tanto los impuestos, cómo tu deuda no baja sino que sube, y cómo las crisis financieras se llevan tus ahorros una y otra vez. Lo extraño es que te preparaste: cursaste una carrera universitaria, dos idiomas y una maestría. Haces jornadas de diez horas y llevas más de veinte años trabajando, pero tu jubilación sigue sin estar resuelta porque «vives al día». Te han estafado.

Supongamos que pagas una mutua de salud privada, te tomas todo lo que tus médicos te prescriben, te chequeas anualmente. Sigues una dieta para rebajar peso y acudes dos días a la semana a tu gimnasio. Sin embargo, el diámetro de tu cintura no hace más que crecer y a partir de los cuarenta tu estado de salud cae en picado. Te ves envejecer ante el espejo y tu energía decae año tras año. Tienes varias dolencias, alguna crónica, te dicen que es tu genética. Te encuentras más mal que bien. Tenías todos los recursos para una salud perfecta y una vida longeva pero te conformas con «ir tirando». Te han estafado.

Supongamos que cada cuatro años votas. Eliges al partido al que votarás después de informarte a conciencia sobre sus programas. Sin embargo, votes a quien votes, los amos del mundo siempre ganan y tú siempre pierdes, porque todos los partidos políticos son «los mismos perros con diferentes collares». Son títeres colaboracionistas que se venden por un poco de poder y bastante dinero. Traicionan a su patria y a sus conciudadanos. Son felones, psicópatas y corruptos. Tú votas y el país empeora y empeora con cada legislatura. Te han estafado.

Podría seguir describiendo situaciones que te son familiares... pero creo que ya lo has captado. Siento decirte que:

- Te han hackeado la vida a fondo.
- Te han engañado prácticamente en todo.
- Te han estafado, y siguen haciéndolo, cada día de tu vida.
- Te han birlado un futuro prometedor.
- Te han vaciado los bolsillos con deuda e impuestos innecesarios.
- Te han convencido de que todo lo anterior es por tu bien.

Desde tiempos inmemoriales, se nos ha programado para sentirnos desvinculados de nuestra naturaleza divina a través de las organizaciones secretas y gobiernos en la sombra, se ha intoxicado la comida y la dieta para embrutecer nuestro organismo, se ha sembrado el miedo y el terror para reducir nuestro poder interior, se nos ha esclavizado con la deuda financiera en un sistema piramidal para doblegarnos, se ha ridiculizado toda discrepancia con el dogma oficial y se nos ha separado en opuestos para destruirnos en guerras sin sentido.

¿Quién hace esto? Vamos a llamarlos los *controladores oscuros* aunque reciben muchos otros nombres que prefiero no mencionar aquí para no bajar el nivel de energía de este libro. Por tanto, si quieres liberarte, antes deberás entender que:

Somos una especie esclava.

El esclavo perfecto es aquel que no ve los barrotes de su celda y cree que es libre. Y la dictadura perfecta es la que se construye poco a poco, desde la *ingeniería social*, diseñando una sociedad a la medida de su totalitarismo. No sé en qué país del mundo vives, pero da igual, esto se te aplica. El *gobierno en la sombra* es globalista y quiere imponerte el yugo del N.O.M. (Nuevo Orden Mundial).

Si no te sientes uno con la divinidad es porque han retenido tu naturaleza luminosa para evitar, a toda costa, que conectes con tu poder y seas incontrolable. Es hora de despertar, porque en caso contrario, la opresión oscura solo se hará más y más evidente a medida que su *agenda oscura* avance.

Lo que quiero explicarte es que tu vida no se parece ni remotamente a lo que podría ser sin una oscura intervención. Imagina por un momento:

- Salud ilimitada.
- Vida longeva.
- Ausencia de guerras y terrorismo.
- Prosperidad y abundancia.
- Necesidades básicas cubiertas.
- Ninguno o mínimos impuestos.
- Trabajo voluntario.
- Poderes extrasensoriales.
- Espiritualidad plena.
- Realización y felicidad.
- Libertad plena y verdadera.
- Sabiduría espontánea.
- Conexión divina.

Todo esto, y mucho más, es lo que te ha sido robado (y sustituido por una vida corta, llena de sufrimiento y miserable). Vuelve a leer la lista, y complétala, quiero que sepas que viniste al cielo pero los *controladores oscuros* se ocuparon de convertirlo en un infierno. Los humanos hemos sido adoctrinados para no encontrar en nosotros mismos la divinidad. Han ocultado nuestra identidad espiritual. Nos han condicionado para no expandir nuestra consciencia más allá de lo material. Su objetivo es separarnos del cuerpo de luz, de la conciencia crística, reducirnos a animales cosechables.

Habitamos un campo de concentración gobernado por la pura maldad. Repasa la historia y descubrirás sus estrategias. Además, destruyen y ocultan todo conocimiento relevante que nos devuelva el poder y nos haga libres, en cambio demonizan la información verdadera que nos liberaría de su yugo.

Además utilizan diferentes estrategias de dominación como:

- «Divide y vencerás». Nos dividen y hacen que nos odiemos entre nosotros. Nuestras rencillas —creadas por ellos— les sirven para controlar y dominar. Ocultan al enemigo real entre enemigos ficticios.
- Jerarquías en forma de pirámide donde solo muy pocos conocen los objetivos, el resto simplemente desconoce y obedece.
- Pequeños cambios sostenidos para que no se perciba el final. Cambios sutiles que sumados conducen a cambios radicales (e inaceptables de saberse antes).
- Engaños de prestidigitación con eventos de distracción irrelevantes que ocultan la atención de otros importantes para que no sean vistos.
- Ataques de «falsa bandea» o actos de guerra o de terrorismo auto infringidos (al propio país y ciudadanos) para crear conflictos o dominar con el terror a las masas.

Ahora puedes enfadarte pero, por favor, no conmigo, no con el mensajero. O tal vez te rías y niegues lo que trato de exponer, porque tu ego se niega a aceptar que has sido engañado como un niño con el ratoncito Pérez, pero es hora de asumir la verdad, de madurar, de despertar, de desenmascarar el *Gran Engaño.* Todos somos víctimas de un inmenso engaño que ya viene durando demasiado.

Soy autor de libros sobre desarrollo personal y nunca me he creído que la realización y la iluminación fueran una misión casi imposible. Tantas prácticas, disciplinas, karma, reencarnaciones... Un día sentí que algo fallaba: todo debería ser más sencillo, más rápido, más natural... La felicidad plena debería ser nuestro estado natural; sin embargo, las personas, incluso las que se esfuerzan en superarse, encuentran trabas y dificultades. Concluí que somos una especie retenida en su desarrollo para que no manifieste la divinidad, no me queda ninguna duda de ello.

Empieza a sospechar que han secuestrado tu proceso evolutivo como ser humano. Todo esto no es natural, hay «gato encerrado». Este libro va a confirmarte esa sospecha. En efecto, la depresión, la desesperación y la ansiedad... son estados emocionales antinaturales e inducidos por un poder omnipresente e invisible que no ha dejado de fastidiarnos a lo largo de la historia.

Este libro no es una obra conspiranóica (término inventado por la CIA para desacreditar a los disidentes y ocultar sus mentiras), es fruto de mi propio despertar a la *Matrix.* El día que nos confinaron en marzo del 2020, debido a la *plandemia* del *virus chino,* entré en el mundo real y salí del ficticio. Decidí buscar por mi cuenta la verdad porque lo que oía y veía no tenía ningún sentido.

Lo primero que hice fue averiguar cómo prevenir y curar el bichito. Con eso resuelto, el virus chino se convirtió en el menor de los problemas; y lo que descubrí detrás de él, se reveló como el mayor de los problemas. Entendí el inmenso lío en el que estamos todos metidos.

Hasta la fecha, estaba muy ocupado con el mundo interior y apenas prestaba atención al mundo exterior. Pero entonces, los *controladores oscuros* se mostraron, se expusieron y se delataron a sí mismos. Empecé a buscar y rebuscar hasta que todo encajó. Mi cabeza se rompió con el documental *La caída del Cabal.*

Puedes ver este documental, y algunos vídeos más muy reveladores, en el canal *Matrix Revelada* de la plataforma de videos sin censura: lbry.tv Revisa ese puñado de videos y tu mente despertará al gran engaño. Enlace aquí: https://lbry.tv/@MatrixRevelada:8 O simplemente vas a la plataforma lbry.tv allí buscas el canal *Matrix Revelada.* Si quieres despertar a algún despistado te bastará con darle este enlace para que reaccione.

Seguí buscando respuestas, descubrí a investigadores que llevaban décadas advirtiendo lo que estaba sucediendo. Leí decenas y decenas de libros, husmeé en la historia, busqué en YouTube... Desde entonces no he parado de hacerme preguntas, de rebuscar en la historia apócrifa, de informarme en vías no oficiales. No he parado de unir puntos para poder ver cómo está organizada la sociedad humana. Te anticipo que las conclusiones son estremecedoras.

Ya hay muchos autores e investigadores que estudian, desde hace décadas, la conspiración contra la humanidad, te invito a seguirles y descubrirlo por ti mismo. No exagero si digo que se desarrolla una guerra del bien contra el mal.

Este no es mi tema y no quiero que lo sea. Lector, te recomiendo que hagas lo mismo, simplemente infórmate, cuestiona todo, se crítico, y después observa los hechos, une los puntos, verás como todo encaja. Te ayudará leer los libros que he incluido en la bibliografía, no dejes de leerlos.

Cuanto más cerca tienes el engaño ante tus ojos, menos lo ves, porque es de un tamaño tan descomunal que careces de la perspectiva para poder ver la totalidad y su alcance. No es lo que nadie te diga lo que te hará despertar sino comprobar los hechos por ti mismo. Mira el mundo con otros ojos menos crédulos y la verdad se mostrará. Cuando lo compruebes por ti mismo, ya no podrás dejar de ver la agenda oscura y totalitaria aquí y allá. Lo siguiente que ocurrirá es que no entenderás cómo no te diste cuenta antes de este gran engaño. No te castigues, estabas dormido, como todos hemos estado antes de despertar.

A modo de aviso, despertar a la verdad implica conocer algunas verdades muy, muy, muy duras. En este libro no entraré en detalles, son demasiado duros. Profundiza por tu cuenta. Pero dormir no te evitará despertar con un sobresalto más duro aún tarde o temprano.

Concluí que la humanidad está retenida, sometida, abusada. Nada es lo que parece, vivimos en una inmensa *Matrix* construida de mentiras y engaños. Ninguno podemos imaginarnos cuánta información se nos está ocultando y hasta dónde llega la manipulación.

Reconocerlo duele, es indignante... por esa razón muchos evitan no pensar en ello y prefieren seguir durmiendo. Los que amamos la verdad no podemos consentir un día más en la mentira, es cuestión de principios y dignidad.

Lamento compartirte que los líderes políticos son casi todos títeres de la *élite globalista* oscura. Trabajan en equipo desde hace siglos, planean un mundo de distopía (la pesadilla perfecta). Su conspiración de dominación está muy avanzada, de hecho, en su fase final. No me creas a mí, mira la situación caótica del mundo y empieza a unir los puntos.

Para evitar nuestra rebelión recurren al engaño y la manipulación, con técnicas de control mental y la ingeniería social. Tienen todo el dinero y poder del mundo, compran voluntades y talentos. Nuestra única arma de defensa es de lo que ellos carecen: alma y valores. Y lo más importante, sin nuestro consentimiento no tienen nada que hacer. Pero antes debemos despertar masivamente.

Hasta la fecha, nadie les ha parado los pies, todo era muy sutil, pero en la actualidad les entró la prisa y ya no guardan siquiera las formas, están desesperados. Las caretas se caen, las cartas se muestran con descaro. Nosotros somos cómplices al haber renunciado a nuestro poder personal que ellos se han ocupado de anular. En consecuencia, nos han utilizado como colaboradores (comprado voluntades) para implementar su agenda tenebrosa cuyo fin es esclavizarnos y desposeernos de todo.

No te enfades, antes de cerrar y tirar este libro a la basura, date una oportunidad, hazlo por tus hijos. Si lo terminas te prometo que...

- Ya no podrás dejar de ver lo que antes no veías.
- Ya no podrás dejar de saber lo que descubrirás.
- Ya no podrás seguir con esta inmensa farsa.

Tendrás que despertar sí o sí. Y más aún, tendrás que rebelarte a la gran estafa si es que aspiras a vivir en libertad. Llegará un día en tu vida que tendrás que afrontar esta verdad. Se llama *despertar*. Si eliges seguir durmiendo, es tu elección. Si ya despertaste, debes saber que somos muchos los que cuestionamos la *Matrix*. Y es necesario alcanzar una masa crítica, tal vez baste con un tercio de la humanidad, para hacer caer su castillo de naipes oscuro y diabólico.

Es necesario despertar, ya no por nosotros sino por la especie humana. Has elegido vivir esta época porque ansiabas poner fin al sufrimiento humano. A todos los que se preguntan cuál es su misión de vida, aquí la tienen: salvar a la especie de un futuro regresivo. Y lo más loco es que no hay que hacer nada, sino ser conscientes y decir «basta». Con estar presentes en el mundo sosteniendo una alta vibración es suficiente para cumplir con la misión. La gente despierta es incontrolable, la gente despierta no acepta las tiranías. Despertar es plantarse ante el gran engaño.

¿No sentías que algo fallaba? Pues ya lo tienes, se trata de la Gran Estafa a la humanidad. Un saqueo espiritual y material que viene durando siglos. Y explica el por qué nuestra raza no logra levantar cabeza.

Si necesitas metabolizarlo, adelante, detén tu lectura y tómate tu tiempo para asumirlo. Yo me he pasado muchas noches sin poder dormir, he vertido lágrimas. Han sido meses de ánimo bajo y sobre todo ha supuesto un inmenso desengaño... el más grande la vida. Luego, poco a poco, te recompones, vuelves a elevar tu vibración, sabes que formas parte de la Luz. Y entiendes que tras despertar ya no pueden volver a dormirte.

Sigue leyendo, no lo dejes ahora.

LOS AMOS DEL MUNDO

Este no es mi tema, ni siquiera uno de los preferidos para mí, cuando me centro en esto se me llena de tristeza el corazón y después he de recomponerme. Pero es hora de hablar de los gobiernos secretos en la oscuridad, de su tenebrosa agenda para la humanidad (a la que detestan profundamente) para apoderarse del planeta (que siempre han creído suyo). No voy a escribir sus nombres, no señalaré a nadie, encontrarás datos en Internet y en muchos libros que los detallan y les ponen cara, y no lo haré porque eso les da poder, me basta con llamarles los *controladores oscuros*.

Hablemos claro, este planeta tiene amos y no somos el común de sus habitantes. Y, siento reconocerlo, todo lo que contiene el planeta, según su paranoia, les «pertenece» también, al menos así lo creen ellos. Sí, eso incluye tu vida, tu casa, tus posesiones y hasta tu familia. Alto, no tires el libro por la ventana, léelo entero y después decides. No te enfades con el mensajero.

De la información de las tablillas halladas en Sumeria (de las que más adelante te hablaré) hace cientos de miles de años, una raza no humana llegó aquí y tomó el control sin oposición. Como maestros genetistas crearon una raza, para servirles como esclavos, a partir de los homínidos que aquí hallaron.

Además estos «dioses del cielo» hibridaron con humanos, dando origen a un linaje de sangre que aún continua en nuestros días en la realeza, la nobleza y las familias de poder. Los descendientes de los descendientes son los actuales amos del mundo que operan en la sombra y se sirven de sus títeres o testaferros para hacer el trabajo sucio de su agenda. Te hablo de clanes, familias, linajes, sociedades secretas, organizaciones de poder...

Las personas reconocibles que ejecutan su agenda de dominación son sus títeres: la mayoría de políticos, algunos líderes empresariales, muchas estrellas del *star system*, los magnates de la comunicación, altos funcionarios, algunos militares, los servicios secretos, etc. Van a sueldo, están comprados, vendieron su alma y su éxito que depende de su pleitesía. Es una inmensa pirámide de poder en la que en lo alto están *los amos del mundo* (apenas trece familias) y en la base, la humanidad dormida.

Los amos del mundo han operado siempre desde las sombras, utilizando a sus marionetas a sueldo. Son estos quienes, generación tras generación, han desarrollado el gran engaño o estafa:

- Social.
- Económica.
- Espiritual.

Entiéndelo, llegaron aquí y decidieron quedarse con todo.

Además, en su maldad disfrutan con el sufrimiento ajeno, por eso fabrican miedo (para dominar a la especie) porque ese miedo les alimenta. Somos sus proveedores de su combustible preferido. Ahora ya sabes a qué se refiere el *pecado original,* no se debe a una falta cometida, sino la marca con la que nacemos: somos esclavos en un planeta prisión. Hemos de reconocer que la realidad sobrepasa a la ficción; ninguna película de Hollywood supera a la historia real.

Si eres un buen cinéfilo encontrarás en decenas de películas y series indicios de lo que te estoy contando. Son piezas de un gran puzzle que encajan. Estas películas y series son solo una pequeña muestra: *Campo de batalla: la Tierra, Matrix, Inmortel, Viven, Constantine, eXistenZ, Divergent, Resident Evil, Altered Carbon, RepoMen, Venom, Black Mirror, In Time, Identidad Sustituta, ReadyPlayer One, Dark City...* Son películas inquietantes que combinan realidad y ficción.

Si sabes leer entre líneas, y unir los puntos, verás que todo está expuesto. ¿Para qué exponerlo? Para burlar la ley del libre albedrío que es la primera directriz en el universo. La técnica que aplican es la del *primado negativo.* Convertir verdades en películas de ciencia ficción para que nunca se puedan considerar creíbles o reales. Se trata de esconder la verdad dentro de la ficción. Son expertos en control mental. Por cierto, Hollywood es un auténtico estercolero. No es ni lo que parece ni lo que te imaginas.

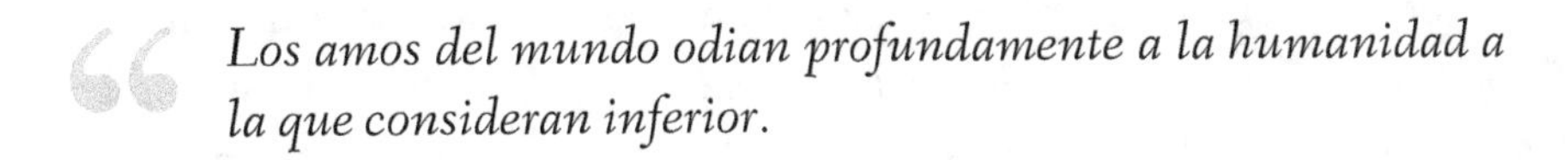

> *Los amos del mundo odian profundamente a la humanidad a la que consideran inferior.*

Ahora entenderás porque la raza humana, bajo su oscura manipulación, ha entrado en períodos de involución. Crisis y guerras continuas sin ningún sentido, todas provocadas y planificadas. Recesiones financieras sin fin. Es una forma de frenar nuestro avance y evolución. Pregúntate porqué las antiguas civilizaciones e imperios han caído unos tras otros. Lo que es más, pregúntate porqué implosionaron desde dentro y no desde fuera.

Lector: las guerras no son normales, las crisis económicas no son normales, el malestar social no es normal, la enfermedad no es normal, el miedo no es normal, la pobreza no es normal... Entiéndelo de una vez. Son creaciones deliberadas para aplastar nuestra raza.

Al principio creía que todo eso formaba parte de la condición humana y que no teníamos remedio. No es verdad, somos seres divinos que amamos la paz y que hemos sido engañados y manipulados. La estrategia oscura es hacer que nos sintamos culpables. Nos dividen para vencernos y hacen que luchemos entre nosotros. Finalmente, desperté y me di cuenta de que todos esos desastres de nuestra historia son creaciones de las élites oscuras que manipulan a nuestra raza para que viva siempre dividida y en el caos. Nosotros siempre perdemos, ellos siempre ganan.

Nuestra ruina económica es su beneficio, nuestro miedo su alimento, nuestra ignorancia su poder.

Si miras atrás en la historia, no queda otra opción que declarar la civilización humana como fallida. En efecto, la especie humana, hasta la fecha, ha fracasado. ¿Cómo es eso posible poseyendo el ser humano un potencial infinito? Lo que es más, un origen divino. Yo pienso que lo normal es la perfección, en todos los aspectos de la vida, y si esto no sucede, es porque hay una fuerza oscura de oposición que nos retiene.

Operan entre bambalinas. Nadie puede luchar contra lo que no percibe o no cree real. ¿Quién iba a resolver un problema sin identificar? Ahora entenderás porqué las personas críticas han sido apartadas de un manotazo y porqué los medios de comunicación, siempre al servicio de sus amos, desinforman al público, silencian la verdad y criminalizan a los disidentes.

El *establishment* es una apisonadora que se frena con la verdad. Su «talón de Aquiles» es la verdad.

Hay muchos expertos e investigadores sobre el tema de los *amos del mundo*, prefiero que te expliquen ellos todo este oscuro asunto. Está todo escrito. Al final del libro, encontrarás una bibliografía que considero de imprescindible lectura para entender de qué va todo esto y cuál es la verdadera historia de la humanidad. Yo he leído muchos más de los que te propongo en la bibliografía pero los que te recomiendo son el mínimo para empezar a entender.

Y si te preguntas la razón que mueve a los controladores oscuros, te diré que no es el dinero (ya lo tienen), ni el poder (ya lo tienen), ni nada que pueda ser un logro mundano. Todo eso ya lo tienen desde hace siglos porque el mundo es suyo. Su plan va más allá de lo terrenal y material y consiste en apoderarse de nuestras almas y reinar también el mundo espiritual; o dicho de otra forma: detener la ascensión espiritual de la humanidad. Su motivo es la pura maldad. Es, además, una historia de venganza a todos los intentos de disolverlos que se han dado a lo largo de la historia.

Los *controladores oscuros*, desde su inicio, han parasitado la política de EE.UU. y la mundial, y planean sumir a la humanidad en el absoluto totalitarismo, degradarla espiritualmente, esclavizarla. Los oscuros harán cualquier cosa imaginable con el fin de detener la ascensión espiritual que saben que viene en los años próximos. De ahí su prisa.

¿Qué implica o significa esclavizar a la humanidad? Nada de cadenas de hierro de momento (aunque hay países que ya tienen listos campos de concentración FEMA). En líneas generales significa lo siguiente:

- Arruinar económicamente a las clases medias, autónomos, pequeños comerciantes y empresarios (aquellos que cuestionarían la distopía) con cierres indiscriminados y legislaciones arbitrarias para hacerlos dependientes de una «paguita».
- Normalizar los estados de alarma, de excepción encubiertos, salvoconductos, toques de queda, cierres perimetrales, confinamientos y otras normas totalitarias que atentan a las libertades básicas de circulación.
- Vigilancia electrónica intensiva: satelital, con cámaras urbanas, reconocimiento facial, *big data* y IA, aplicaciones smartphone, geolocalización GPS, red 5G, moneda digital... etc.
- Saqueo de la propiedad privada y prohibirla con expropiaciones y embargos de los patrimonios privados de toda clase de bienes y activos (The Great Reset).
- Destrucción de: las religiones convencionales, las identidades de patria o culturales, la familia como unidad básica, las tradiciones culturales, divisiones sociales... etc.
- Control mental masivo utilizando sofisticadas tecnologías, fluorización del agua, implantes mentales, experimentación social y adoctrinamiento con los medios de desinformación.
- Censura informativa en toda clase de medios de comunicación, tanto en Internet como convencionales, además de redes sociales, escuchas telefónicas, rastreo digital... etc.

Si te parece ciencia ficción, te diré que todo lo apuntado arriba ya está ocurriendo ahora mismo en diferentes países y en diferentes grados de implementación de la agenda. Despierta, te están robando la cartera en tu propia cara y tu país está siendo saqueado. Es el gran engaño. La gran estafa. Y de propina, tratan de estafarnos nuestra evolución espiritual.

Ahora mismo se está librando la guerra entre el bien y el mal, entre traidores y patriotas, entre la oscuridad y la luz.

Pero su agenda va a fracasar antes de culminarla si despertamos. La era de Acuario está aquí, el gran despertar que inicia el 21/12/20 es imparable, además está llegando al planeta la generación Alfa (nacidos a partir de 2010 en adelante, después de la generación Zeta, última de una era), y tu elección de salir de una era oscura. Por muchas razones termina la *cuarentena del planeta* en la cual hemos sido aislados de planos superiores y de una vida realizada. Pero es ineludible despertar. El final está decidido. Y es un final feliz. El plan de dominación y sometimiento a esclavitud de toda la humanidad fracasará tarde o temprano. Pero no sin nuestro despertar colectivo que nos permita recuperar el poder personal.

DESPERTAR A LA *MATRIX*

Hace años que escribo sobre la importancia de despertar al sueño del ego y descubrir quiénes somos en realidad. Esa es la única misión de nuestra vida. Si querías saber a qué dedicar toda tu vida ahora, ya lo sabes. Entrégate a despertar.

No menosprecies el fenómeno del despertar. La inmensa mayoría de los que caminan por este planeta no tienen ni idea de quiénes son, ni de dónde vienen ni a dónde van. Tal vez por eso, van de un lado a otro, de esto a aquello, siempre buscando sin encontrar.

Hay una historia sobre Buda (*el despierto*): alguien le pregunta a Buda si es un dios. A lo que Buda contestó: «No, solo estoy despierto».

Ninguna fe o creencia te hará libre, solo la experiencia espiritual de despertar lo hará. Para mí hay dos vías al despertar: *despertar al Ser* y *despertar a la verdad*. Una mira hacia el espíritu y la otra mira al mundo. Suelen ir de la mano.

Cuando hablo de espiritualidad no me refiero a ninguna religión. Si me preguntan cuál es la diferencia entre las estructuras religiosas y la espiritualidad, diría que la primera sitúa a la divinidad en el exterior y la personaliza en un Dios externo. Y la segunda sitúa la divinidad en el interior y la asume como una identidad. Yo me siento espiritual pero no necesariamente religioso. Además, las religiones son uno de los muchos sistemas de control que han sometido a la humanidad, además de dividirla para debilitarla.

Despertar te conduce a saber quién o qué eres; y con eso basta. Todos somos llamados a despertar (no una, sino muchas veces) pero no todos eligen hacerlo (no una, sino muchas veces). Una sociedad despierta es invencible. Despertar es reconocer tu verdadero Yo espiritual. Y es hora de que la humanidad despierte. Somos una especie divina que ha renunciado a su poder infinito con un ridículo látigo (miedo) y una jaula invisible (programación mental).

El hecho de haber escogido esta lectura, revela tu intención de despertar y la intención dispone de los medios para que ocurra. A fin de cuentas, si eres la divinidad y decidiste despertar, nada podrá evitarlo.

Tengo dos buenas preguntas con sus correspondientes respuestas:

1. *¿Quién despierta?* Desde luego, no es el ego, puesto que él es el personaje inventado dentro del sueño, el *héroe de todas las aventuras* en el mundo. Digamos que la Presencia Yo Soy se hace consciente de sí misma.
2. *Despertar ¿de qué?* Despertar de una ilusión fantasiosa. Despertar a la verdad identitaria, a partir de ese punto, tenerlo presente en cada experiencia en el mundo. Despertar de la pesadilla de que estamos separados, somos imperfectos y limitados.

De forma intuitiva, obtengo la referencia de que un 25% de la humanidad está despierta al montaje de la Plandemia (y un 10% despierta espiritualmente); es decir, experimenta una realidad multidimensional (habitamos diferentes niveles de conciencia). Un cuarto del total puede parecer poco pero te aseguro que no hace mucho estábamos bastante peor. Esto significa que el 75% sigue durmiendo hipnotizado por los convencionalismos engañosos. Como todo se acelera ahora, intuyo que vienen grandes acontecimientos que despertarán a muchos de golpe. La humanidad accederá a información que la dejará en profundo shock. Empezará a entender que nada es lo que parece. Nada.

Por otro lado, el planeta ya se halla en el inicio de una nueva era, la de Acuario, lo que nos conduce a una aceleración en el despertar. También presiento, intuitivamente, que estamos siendo ayudados por fuerzas inteligentes, desde otras dimensiones, y que no podemos ni imaginar. Esta generación va a asistir a grandes y sorprendentes revelaciones. Pero no olvidemos que nada llegará de forma gratuita, aún nos queda ganar la actual guerra entre el bien y el mal.

Nadie puede despertar por ti, esa es tu misión en la vida. Sí, lo que has estado buscando toda tu vida: una misión, un propósito vital, un ideal, un objetivo por el que luchar y vivir. Pues ya lo tienes, es el mismo para todos los humanos: *despertar*. Y no hay otro, todo lo demás son entretenimientos.

Nuestra irresponsabilidad ha sido no haber ganado antes de hoy la guerra entre la luz y la oscuridad. Cuanto más avanza la agenda, más nos costará desactivarla. Nuestro reto es no demorar más nuestra liberación.

No nos engañemos, todos intuimos que algo muy oscuro ha empañado nuestra vida y es hora de tomar el control. Nuestra única oportunidad es despertar, elegir el amor y no el miedo. Solo entonces la luz disolverá la oscuridad. Y el velo caerá.

Es hora de enfrentar al domador

Estamos en la última fase del plan oscuro para retener a la humanidad. Donde el cordero se convierte en león.

Las élites oscuras, que han abusado de los humanos, serán vencidas. No les va a ser posible seguir con su agenda tenebrosa porque su tiempo ha terminado, porque una masa crítica suficiente ha despertado y porque no se va a permitir más oscuridad en el planeta por parte de inteligencias muy poderosas que no son humanas. El juego de los controladores oscuros va a terminar. Están desesperados porque ven que el plan se les va de las manos y por eso golpean tan duro en sus últimos tiempos. Son las últimas «patadas del burro» antes de morir.

Game over oscuros.

Sus títeres y secuaces no podrán seguir. También es tarde para ellos, se han retratado. Tendrán que rendir cuentas por su traición. Ahora es «el tiempo del no tiempo» y sus últimos días se agotaron. Cayó abajo toda la arena del reloj. La cuenta atrás finalizó.

Los políticos (o títeres de los amos del mundo) son seres amorales, sin empatía, porque sus instintos son de dominación y supervivencia, son egoístas hasta la médula, con bajo nivel de conciencia y que en su ignorancia esencial eligieron actuar como testaferros del mal. Como se dice en las películas: «eligieron el lado oscuro». No tienen cabida en la nueva humanidad. Quieren un nuevo orden mundial y van a tener una nueva humanidad, nada parecido a lo que ellos pensaban.

Nuestro deber ahora es despertar masivamente para descubrir la verdad, hacernos conscientes, vibrar elevado y vivir desde la coherencia, decir basta... desobedecer masivamente la injusticia. Con esto, los títeres ya no serán respetados por nadie y caerán como marionetas rotas. Serán domadores sin látigo. Y entonces, tanto los amos del mundo sin tiempo, como sus títeres sin látigo, serán expuestos y depuestos. No vamos a luchar, simplemente diremos «NO» y después les vamos a echar. No pueden pertenecer a esta especie ni a este lugar.

Sí, pero: «¿Qué puedo hacer yo?», te preguntarás. Todo, sí, todo.

El gran cambio mundial vendrá de nuestro cambio personal. Muchas personas me lo preguntan y a veces me enfado por su conformismo y flojera. Lo que puedes (y debes) hacer es:

1. *Informarte* ampliamente, investigar, buscar la verdad, tener espíritu crítico y averiguar todo lo que te afecta.
2. *Desarrollarte* como espíritu libre del miedo (esa es su arma contra ti). Decretarse libre.
3. *Leer* libros reveladores, está todo escrito. Unir los puntos.
4. *Ser coherente*, tener dignidad, aplicarse valores éticos y ser un ejemplo de congruencia.
5. *Informar* al que quiere escuchar, al que despierta y quiere saber. Dar testimonio.
6. *Ser firme* ante el control. Decir «No» con firmeza, plantarse, dejar de colaborar, desobedecer.

Eso es todo y es suficiente.

No es necesario hacer la revolución, ni tomar las calles. Nada de lucha, simplemente les vamos a rechazar. Cuando recuperemos el poder que les hemos entregado, se desinflarán. La oscuridad no puede coexistir con la luz. Si no quieres hacerlo por ti, hazlo por tus hijos y nietos, para que no sean unos esclavos. Tus descendientes no pueden resolver esto pero tú sí.

Repasemos los seis puntos de arriba porque esto es lo que puedes y debes hacer:

Punto uno: no hay nadie más vulnerable que una persona ignorante. Tu única opción para sobrevivir es aprender, indagar, conocer, descubrir... El conocimiento es tu derecho y a la vez tu obligación; cuando renuncias a él condenas a la esclavitud a los tuyos.

Punto dos: tienes miedo, sientes miedo por muchas razones y de él se aprovechan. Tu miedo les invita a abusarte de mil maneras. Hasta que no disuelvas tu miedo con autoconocimiento, serás un esclavo con cadenas invisibles. El autoconocimiento es el camino de la liberación humana.

Punto tres: cualquier problema que tengas está ya resuelto en docenas de libros escritos en estos tiempos o en la antigüedad. Si no lees, no sabes y créeme que se usará tu ignorancia en tu contra y en su beneficio. Empieza a leer; un libro te llevará a otro. Al saber entrarás en la *dimensión de los libres*.

Punto cuatro: establece los valores prioritarios para ti y apégate a ellos contra viento y marea. No te vendas por un plato de lentejas. No hagas excepciones. No te traiciones a ti mismo, no le falles a la humanidad. Sé digno y coherente. Así darás la única lección que tus hijos precisan aprender de ti.

Punto cinco: júntate con personas despiertas pero ayuda al que quiere saber. No trates de convencer al negacionista (el que niega la realidad al comprar la versión oficial). Invierte tu tiempo en los que desean despertar. Ayuda al que quiere ser ayudado, informa al que escucha, el resto necesitan tiempo. Cambia tú y tu círculo se verá influenciado por tu cambio. Sé un punto de luz como un faro allí en donde estés.

Punto seis: Los controladores son menos poderosos de lo que parece, basta que la humanidad se plante ante su engaño y su chiringuito de control se derrumbará en dos días. Necesitan de nuestra complicidad inconsciente para seguir y es hora de retirarla. Es hora de ponerse en pie. Somos muchos.

Seis pasos. ¿Te parecen pocos? Te aseguro que es una labor titánica. De modo que no vuelvas a repetir que *no puedes cambiar nada*, que *no hay nada que hacer*, que *las cosas son como son...* Tienes mucho que hacer al respecto: todo.

El resto corre de parte de «La Alianza» que lleva muchas décadas preparando el contra golpe al golpe de estado mundial globalista (N.O.M.). Ellos van a actuar con un plan de salvación muy elaborado pero necesitan nuestro apoyo, que estemos despiertos cuando seamos llamados a recuperar nuestro poder.

Como sabes, existe la *ley del libre albedrío*. Esto significa que cuando una persona elige de acuerdo con su derecho, su decisión es soberana y no puede contravenirse por la fuerza. Los controladores oscuros lo saben y han tejido una estrategia para salvar este escollo «legal»: el engaño. Ellos saben que si una persona se hace consciente, despierta a la gran estafa planetaria, y dice «NO» a la manipulación y a la agenda oscura, no hay modo de forzarlo, se libera.

El poder de los controladores oscuros se basa en el engaño, el desconocimiento y el miedo.

Si reclamas tu poder personal, despiertas y escapas a su engaño. Y si suficientes humanos lo hicieran, sus planes tenebrosos quedarían desactivados. Por ejemplo, si las personas siguen acudido a votar en un sistema fraudulento como es la supuesta «democracia» (*demoniocracia*), están validando ese sistema fallido al participar en él. Están aceptando, por omisión, el engaño y la manipulación que sufrirán después, una vez elegidos «sus representantes» (políticos que no son más que títeres de los amos del mundo). Por la «ley del libre albedrío», eres responsable de lo que ocurra gracias a tu colaboración.

Ahora entenderás porqué sus oscuros eventos contra la humanidad se anuncian descaradamente con tiempo en películas, medios de comunicación, etc. Al no encontrar sus planes una oposición expresa, por esa misma razón se legitiman según el derecho cósmico para poder ser ejecutados sin castigo. Es puro *derecho cósmico*. Algo así como que el abusado «consiente» y por ello no tiene lugar el delito.

El mal nos utiliza para programar su agenda (el mal en la Tierra no es de origen humano). Incluyen en sus medios (revistas, periódicos, TV, series, películas, dibujos animados...) sus objetivos. No son predicciones, son programaciones. No están adivinando el futuro, lo están creando con nuestra colaboración. Al inocular sus metas en nuestra mente, aceden a nuestra imaginación que es la fuerza creativa del universo. Muchas mentes imaginando las mismas ideas acaban por materializarlas. Están cosechando nuestras mentes para crear la realidades que desean crear a través de nuestra mente creativa de forma inconsciente. Bienvenido a la fábrica de pesadillas.

Ya cuando naces, y se te inicia en los ritos de tus padres, estás «firmando» un contrato con los controladores oscuros que dirigen todas las instituciones para el sometimiento humano. El simple hecho de estar inscrito en el Registro Civil ya es el alta en la «granja humana» y pasas a ser su propiedad. Aunque tus padres decidieron por ti y sin entender lo que hacían, se considera tu renuncia al libre albedrío. Entiende que si hay consentimiento, incluso tácito, no hay delito. Y sin delito nada puede detenerles.

Para liberarte de esos contratos tácitos, te sugiero que tomes una hoja y un bolígrafo y declares por escrito tu renuncia a cualquier contrato que te adhiera a su corporación oscura y reclames tu derecho cósmico al libre albedrío. Ese acto simbólico te libera de anteriores adhesiones y consentimientos tácitos. Al decretarlo, eliges, y por ello sales de su ámbito de influencia. Pones freno, por lo que a ti respecta, a su control.

Por ejemplo: «Yo (aquí tu nombre completo) cancelo cualquier consentimiento o contrato tácito que haya aceptado de forma consciente o inconsciente y que no represente el amor incondicional. Solo respondo a la luz y el amor. Provengo de la fuente creadora divina y tengo el control de mi vida por a la Ley del libre albedrío. Cancelo ahora cualquier vínculo al margen de la divinidad creadora».

Siempre se ha dicho que para que el mal gane solo es necesario que el bien no haga nada.

Haz tu parte. Declara tu libertad, tu independencia espiritual, tu derecho al libre albedrío. Rompe tu contrato de esclavitud. Realizar este acto simbólico de forma consciente te pone fuera de su esfera de manipulación.

En tus meditaciones diarias es básico que decretes: «No me dais ningún miedo», «No tenéis ningún poder sobre mí», «Soy hijo de la Luz», «Estoy al mando de mi vida», «Disuelvo la oscuridad», «Mi claridad inspira a los dormidos», «Tomo poder personal», «No podéis obligarme a nada», «La luz ya ha ganado»... Y disolverás las cadenas invisibles. Decreta cada día.

La libertad es un tema de dignidad y autoestima. No te la dan, tú la ganas. Va de ti, no de ellos. Es tu elección consciente lo que te liberará y no el séptimo de caballería. Yo lo llamo *vivir desde la coherencia*, porque sé que nuestros hijos nos miran y aprenden de lo que somos, no de lo que les decimos. Y mi mejor consejo para ti es este: no hagas nada en la vida que no despierte la admiración de tus hijos. Dando buen ejemplo es como transmitiremos un legado y haremos que la especie humana sea viable, tenga futuro, evolucione, y no sea una especie fallida.

No les falles a tus hijos y nietos.

Tu misión es dar ejemplo sin excepciones, sin fisuras. En mi vida, he rechazado muchas propuestas que daban a ganar un buen dinero solo porque estaban en contra de mis valores. Siempre he antepuesto lo correcto a lo tentador, incluso en los momentos más difíciles (especialmente entonces). Y a la larga, me ha ido muy bien. No ganas nada si te pierdes a ti mismo.

Espero no escuchar ese cuento de: «Tengo una hipoteca que pagar», «De algo hay que vivir», «Tengo varias bocas que llenar»... ¿Y qué? Todos tenemos responsabilidades en la vida. Esto va de dignidad y no de lloriquear. O estás con los que se venden por un plato de lentejas o estás con los que nunca se venderán. Discúlpame si soy duro, pero el asunto es muy serio, la humanidad se lo juega todo, todo es todo, a una carta; y es hora de apostar por la dignidad humana.

Dig-ni-dad.

2

EL PLANETA GRANJA

LOS TÍTERES DE SUS AMOS

Imagina que una banda de delincuentes, cansada de luchar con la policía y la justicia, decide tomar el poder de un país e infiltrar todas las instituciones para salvaguardar sus actos delictivos y ser impunes. Imagina que esa organización mafiosa corrompe y compra voluntades con dinero y amenazas... Pues bien, no lo imagines, eso es lo que ha ocurrido exactamente, en todo el mundo.

Estamos en manos del mal.

La supuesta democracia es una dictadura invisible disfrazada de libertad. La *partidocracia* no deja de ser un oligopolio de mafias organizadas con diferentes logos y eslóganes pero con los mismos amos, que son los que siempre ganan. El modelo democrático que hemos usado está trucado. Es un completo *fake* y una estafa de proporciones colosales.

La política no solo forma parte del problema, sino que es en sí misma «el problema». Te guste o no, el sistema es un engaño. A los que crean aún que la política puede arreglar el mundo, deberían reflexionar si los políticos solucionan problemas o más bien los crean. Si resuelven algún problema, son los suyos, no los tuyos.

Unas veces generan más problemas y conflictos adrede (lo has leído bien); y otras, los generan por pura negligencia e incapacidad manifiesta. Sí, son hábiles creando problemas para después vender su «solución». La mayoría dejan a los países en un estado lamentable después de una o varias legislaturas de despropósitos. Créeme, son un auténtico peligro para el progreso de la sociedad (los únicos que progresan son ellos).

Voy a ser sincero, un político solo quiere dos cosas de ti:

1) Tu voto (para encaramarse encima de ti).

2) Tu dinero (tus impuestos) para vaciar tus bolsillos y llenar los suyos.

Te puede parecer muy radical, pero si tomas perspectiva verás que ha sido así en el pasado y es así en el presente. Las noticias son un sinfín de casos de corrupción (y son solo la punta del iceberg, imagina de lo que no estamos enterados). Y lamentablemente no hay muchas excepciones.

Su objetivo = tu voto + tu dinero

En la ecuación de arriba no verás el factor *tus problemas* porque no es algo que les importe en realidad, solo los manejan como gancho electoral. Me sabe mal ser yo quien quien te haga despertar a la cruda verdad: solo les importa tu voto cada cuatro años y tu dinero cada año. ¿Tus problemas?, eso es cosa tuya, ya te arreglarás con ellos.

Codician tu voto y tu dinero. El resto, tus problemas, no les importan lo más mínimo; aunque te dirán que su prioridad máxima eres tú. No te lo creas, los hechos —y no las palabras— son lo que cuentan. Ciudadano, pon atención, no es a sus palabras (promesas vacías) a lo que hay que atender, sino a los hechos. Mira lo que hacen, no escuches lo que dicen. Sus hechos les delatan.

Tatúate esto en el brazo para no olvidarlo: «Los políticos se preocupan de sí mismos, no de mí». ¿Hay excepciones? Claro, como en todo. Encontrarás políticos de buena voluntad que no saben, o no quieren saber, dónde se han metido. Incluso unos pocos líderes luchan para liberar la política de las garras del *estado profundo* globalista del N.O.M. Pero los cuentas con los dedos de una sola mano.

Te preguntarás... pero ¿es este Nuevo Orden Mundial una realidad? Lo es. Convéncete tú mismo, estudia los documentos de las Naciones Unidas (O.N.U.) y los tratados que, una vez ratificados por las naciones, son ya derecho internacional que obliga. La O.N.U. creó la Comisión para la Gobernanza Global, visita la web de las Naciones Unidas y lo verás. Infinidad de líderes políticos, títeres, repiten como loros la necesidad del N.O.M. en su propaganda política.

La política no es un servicio, es el medio de vida y enriquecimiento de una casta. No es cuestión de elegir entre varias ideologías, sino de discernir entre el bien y el mal. Los *controladores oscuros* (el puro mal) siempre ganan porque financian y controlan a todos los partidos de una forma u otra. Incluso en las guerras, la élite apoya a ambos contendientes para asegurarse que, gane quien gane la guerra, los que ganarán de verdad son ellos, la élite oscura.

¿Y las elecciones?

Te hacen creer que eliges a tus gobernantes cada cuatro años. ¡Menuda fantasía! Siempre mandan los amos del mundo, sin importar quién (los títeres) gane las elecciones. Todos los partidos sirven a los controladores oscuros que financian sus campañas y ponen los medios de comunicación a su servicio.

Desengáñate están amañadas, no por los políticos vendidos que son meros sirvientes, sino por sus amos. Los mandatos y cargos se reparten de antemano y sus propias empresas de recuento informático de votos ejecutan las estafas electorales con programas de *software* para cometer el fraude electoral y el «pucherazo». Esta *mafia oscura* ha estado «designando a dedo» a los presidentes de muchos países desde hace décadas. El escándalo es colosal y mundial, pero descuida, no aparecerá en sus medios de desinformación porque también son suyos.

La supuesta democracia es una estafa colosal, un juego de trileros, para que creas que decides tu futuro en las urnas. Las elecciones de EE.UU. en el 2020 (el robo de las elecciones por parte de los «demócratas» confabulados con varios países extranjeros) son un ejemplo de una práctica mundial que viene de décadas atrás. Las empresas de recuento de votos (en manos privadas) son propiedad de las élites oscuras y ellos deciden quién calienta banquillo y quién sale a jugar. Alternan a los partidos, de diferente signo, para aparentar normalidad, pero todo es una farsa gigantesca.

Papelitos dentro urnas, máquinas electorales, votos por correo, recuento electrónico... todo eso son solo medios para *hackear* la voluntad del pueblo de forma fácil. Juegos de magia. Póker con cartas marcadas. Trampas y más trampas.

Ahora mismo, ya existe la tecnología *online* para hacer de unas elecciones un evento 100% seguro e inviolable, es la tecnología *blockchain* o cadena de bloques (la misma que usan las criptomonedas). Se podría votar desde el teléfono móvil, cómodo y seguro, con resultados al instante, pero como todo lo que es útil, se retiene y oculta. Me temo que hasta no la implanten los gobiernos, a mí no se me verá cerca de un colegio electoral donde se escenifica la farsa.

Todos los partidos tienen el mismo objetivo, pero usan un envoltorio de diferente color.

Actúan como una mafia y usan métodos mafiosos. Y es hora de que sepas que algunos de ellos han cometido crímenes abominables (mucho más graves que la corrupción por dinero). Despierta.

Soy de los que piensan que sobran: políticos, cargos públicos y funcionarios. Si redujéramos el volumen de toda esa *famiglia*, nuestros problemas (además de los gastos) se reducirían en proporción. Los políticos solo se perciben necesarios por las personas dormidas y con bajo nivel de conciencia que entregan su poder a otros y esperan que les resuelvan la vida. Cuando la especie humana despierte por completo y entienda que son una trampa, sobrarán los partidos políticos. Con unos pocos gestores muy profesionales y trabajando sobre resultados, bastará. Creo que en el futuro desaparecerán los partidos políticos, todos.

Una sociedad consciente precisa de muy pocas normas, leyes y políticos. Cuantas más leyes tiene un país, más atrasado y menos consciente está evolutivamente. Y esto es así porque una persona evolucionada sabe cómo ha de comportarse y se adhiere a principios, valores y ética. Además no espera que nadie le resuelva nada, toma la responsabilidad.

Si reducimos el numero de cargos, políticos, organismos... se resuelven varios problemas de golpe: menos caos y confusión, menos gasto público, menos declaraciones y ruido, menos abusos, menos corrupción, menos noticias... Considero que bastaría con una docena de cargos, a nivel nacional, para dirigir la maquinaria pública y el cuerpo de funcionarios (que también debería disminuir como mínimo la mitad). ¿Imaginas el ahorro de dinero y de problemas?

También pienso que los políticos no deberían cobrar nada de nada. Con ello evitaríamos que los «trepas», sin «oficio ni beneficio», optaran al dinero público. Y no, no caigas en la trampa de pensar que hay que pagar bien a los políticos para así atraer a los «mejores». Eso ya se está haciendo ahora (se les paga más que bien) y no ha funcionado. Al contrario, cuanto mejores son los sueldos, peores los candidatos y mayor la corrupción. No hay que darles más dinero, sino menos, y exigirles más resultados.

Creo que la política debería ser vocacional, sin retribución, y solo para los más preparados que hayan demostrado cierta habilidad y trayectoria profesional. Algunos dirán que eso no atrae a los mejores, o al talento a la política... ¿en serio crees eso? Solo mira el panel de políticos de tu país para ver la mediocridad (salvo alguna excepción rara). De hecho, somos muchos los talentosos que no queremos acercarnos a la política para no mezclarnos con esa mafia y mediocridad. La gente preparada no quiere entrar en el lodazal de la política porque es un sucio pantano.

Mi ideal sería un mundo sin apenas políticos pero sé que eso requiere un elevado nivel de conciencia en la sociedad. Hasta que eso suceda, y estamos lejos, podríamos utilizar un sistema político transitorio con algunas de las siguientes condiciones (y seguramente con algunas más que tú mismo puedes incluir):

- Reducción de parlamentos a 5/10 representantes por cada partido según tamaño del país. Grupos parlamentarios pequeños para conocerlos mejor y controlarlos mejor.
- Reducción de funcionarios políticos a la mitad.
- Eliminar la cámara baja o Senado y todas las duplicidades.
- Rotación de las listas de cada partido cada dos años. No se entendería como un trabajo, sino como una prestación al país.
- Examen psicológico y profesional de los candidatos políticos. Exigencia de capacidad profesional por encima de la ideología.
- Exigencia de la carrera universitaria de Ciencias Políticas a los candidatos.
- Exigencia de un mínimo de dos idiomas extranjeros a los candidatos.
- Anulación de las elecciones (son fraudulentas). Todos los partidos estarían en un gobierno de coalición, con participación de todos los partidos en iguales proporciones.
- Supresión del aforamiento y derechos de privilegio.
- Supresión del derecho de aumentarse el sueldo a sí mismos.
- Supresión de las pensiones vitalicias y privilegios por el cargo ocupado.
- Retribuciones a nivel del sueldo mínimo interprofesional, más dietas razonables.
- Auditoría anual, por entidad externa rotatoria, de sus dietas y gastos de representación.
- Inspección fiscal de Hacienda, cada año, de todos los políticos.

- Reducción masiva de administraciones públicas locales.
- Separación de los poderes del Estado.
- Separación de los poderes de las religiones.
- Separación de los poderes de los medios de comunicación.
- Separación de los poderes de las redes sociales.
- ... etc.

Seguro que puedes mejorar y completar la lista de arriba. Es la sociedad, nosotros el pueblo, quien debe dictar las normas a sus empleados (los políticos) y mostrarles las reglas de juego y no al revés. El aspirante a político que no quiera jugar con nuestras reglas ya sabe dónde está la cola de la oficina del desempleo.

En mi ideal, solo las personas brillantes por sus logros, y que tienen su medio de vida resuelto, deberían ser políticos. Solo entonces podrían regalar su tiempo de forma voluntaria a la sociedad. Una donación con el ánimo de servir, nada más.

Creo que es hora de superar la obsoleta polaridad: «derechas» e «izquierdas», lo cual no es más que un atraso y un engaño total. Es un invento de los *controladores oscuros* siguiendo su estrategia de «divide y vencerás». Desengáñate, ellos controlan a casi todos los partidos, en todos los países del mundo.

La auténtica guerra que se libra es entre el bien y mal. Repito, no es un tema de ideologías, *la batalla del mundo es entre el bien y el mal* (*el Cristo y el anticristo*). Olvida el engaño de «izquierdas» y «derechas», no va de ideologías.

Los *políticos vendidos* no mandan nada, sus amos lo hacen. Ahora mismo, los políticos títeres que administran el mundo (bajo la dirección de sus amos que son los que mandan) «pintan» muy poco. Para empeorarlo, los políticos no consideran ni remotamente un paradigma espiritual de la vida más allá del materialismo a ultranza en el que viven inmersos. ¿Cómo vamos a prosperar si los que administran los países desconocen los más elementales principios espirituales?

Date cuenta que los que no podrían conseguir ni el más simple de los empleos (por su incapacidad e ignorancia) acaban postulando a un cargo político para vivir a costa de todos nosotros. Se trata de auténticos inútiles que no durarían ni una semana en la misma empresa en la que tú llevas años. Mira sus CV y verás que muchos jamás han tenido un empleo de verdad, nunca han superado un proceso de selección y tienen experiencia «cero» en gestión.

Son zánganos que llevan toda su vida medrando en un partido político, escalando posiciones dentro de él, haciendo pasillos, para después, desde ahí, asaltar un cargo público y vivir del cuento. No saben lo que es ganarse la vida en el mundo real.

No sé en tu país, pero en el mío no se exige ningún nivel de estudios para presidir el país o ser ministro. No pasan ninguna prueba de aptitud intelectual ni psicológica. Para trepar en la administración solo hace falta ideología y medrar por los pasillos para subir en el escalafón institucional. Y por supuesto, jurar obediencia ciega al Cabal globalista que los coloca.

Deberían examinar a los políticos antes de dejarlos ejercer. Hablando claro: «no saben hacer la o con un canuto», carecen de experiencia relevante y no siempre poseen estudios adecuados.

He trabajado en tres bancos y tres multinacionales, conozco el duro mundo corporativo, y te aseguro que esta gente no duraría «ni tres telediarios» en una empresa privada donde se funciona por resultados y pasas un examen cada mes. ¿En serio hemos de permitirles que dirijan una nación y presupuestos millonarios? ¿Estos tipos han de arreglar nuestra vida? ¿Pagarles un sueldo? ¡Venga ya! ¿Estamos locos?

¿Hay excepciones? por supuesto que las hay, como en todo. Siempre hay personas decentes y voluntariosas en los círculos políticos pero mandan poco y duran menos. No llegan a las cúspides piramidales de sus partidos. De hecho, si ascienden o destacan son neutralizados.

Nosotros el pueblo no les necesitamos, pero ellos sí nos necesitan a nosotros

¿No te has fijado que su obsesión es el índice de participación en las elecciones? Saben que si es alto significa que la gente se ha tragado el cuento de la «democracia». Su fracaso sería que nadie fuese a sus mítines, ni a votar. ¿Lo imaginas? Eso sería el final de su estafa y el principio de nuestra libertad.

Sinceramente, la única opción viable que veo es hacerles el vacío, dejar de seguirles la corriente, ignorarles, darles la espalda; y en última instancia, desobecederles. No votarles es igual a despedirles. Un plante electoral es una huelga de votos, es decirles «se acabó el juego sucio».

Hacer manifestaciones en la calle no sirve de nada, ya lo tienen previsto y saben cómo gestionarlo. Cambiar el voto a otro partido es inútil, los *amos del mundo* ganan siempre: los partidos están a sus órdenes. Solo vale despedirles.

Pero no nos confundamos, es tan ilusorio pensar que los políticos cambiarán el mundo a mejor, como engañoso es creer que si desaparecieran el mundo sería mejor. No es su presencia o su ausencia lo que hará un gran cambio; el secreto está en la presencia de cada uno de nosotros y la toma de responsabilidad y poder personal.

En el mundo ideal que atisbo, los políticos no son necesarios porque las personas reconocen su auténtico poder y despiertan.

MEDIOS DE DESINFORMACIÓN

El empresario de automóviles Tesla y naves SpaceX, Elon Musk, lo dijo en redes: «El 99,9% de los medios pertenece al N.O.M.», casi la totalidad. Sí, las noticias, la supuesta verdad, tienen amo que dicta las cabeceras de los noticiarios (¿no has visto cómo el mismo mensaje literal se repite en todos los medios?, une los puntos).

Mi consejo: apaga la tele, envuelve tu bocadillo con el periódico, olvida la radio... Son medios de desinformación, de control mental y de campañas de lavado de cerebro. Están vendidos, la publicidad no les funciona y viven de las subvenciones del gobierno y de aportaciones de capital privado (la élite) que los posee. No son de fiar, no informan, manipulan. Todos los *mainstream* mienten. Apaga los medios, enciende tu mente.

Toma este consejo que vale su peso en oro: desconecta de los medios (TV, radio y periódicos). Son agentes de propaganda, en manos de las élites, para lavarnos el cerebro y controlarnos la mente con estrategias trazadas para la manipulación y la ingeniería social; y con el tiempo, imponer sus agendas tenebrosas.

Apelo al sentido común, si aún les queda, de las plantillas de los medios. Las personas empleadas en esas fábricas de contenidos *fake* deberían plantearse si desean formar parte de la corporación oscura. ¿Pueden mirar a la cara de sus hijos cuando regresan a casa?

Por mi parte, he decidido no aparecer en los medios por dignidad y coherencia. Prefiero renunciar a la promoción antes que nutrir de contenido a las herramientas de la manipulación masiva.

La TV es *fake*, la prensa es *fake*, la radio es *fake*. Incluyen alguna verdad (el tiempo, la bolsa, el tráfico...) para disimular y que no se les hunda el «chiringuito». Tarde o temprano, o se reconvierten o cierran, porque la gente pierde el respeto a los farsantes.

Los ciudadanos ya no podemos confiar en las fuentes de información convencionales en las que antes confiábamos y en las que confiaron nuestros padres y abuelos. Poco a poco, los controladores oscuros han ido comprando los medios de comunicación en casi su totalidad. Si investigas quién posee los grupos de medios descubrirás una pirámide unicéfala.

Todos los grandes medios son propiedad de grandes corporaciones las cuales son propiedad de las élites oscuras. O son de propiedad pública, lo cual es peor, están controlados por el político de turno y emiten propaganda política.

Las élites han comprado estos medios para la propaganda y adoctrinamiento social que están en manos de un puñado de corporaciones y estados. Si mantienen diversas marcas, es para dar la falsa impresión de que puedes elegir lo que puedes/debes pensar. La diversidad es una cortina de humo para hacernos creer que hay diferentes corrientes de opinión cuando solo existe la opinión única.

Muchos medios pero solo una opinión oficial. No es información, es propaganda. No trabajan para nosotros, conspiran contra nosotros.

En algunos países, de propina, tenemos un flamante «Ministerio de la verdad» que dice qué vale y qué no vale. Además de empresas verificadoras que deciden qué es verdad y qué no. Su censura es tan burda que resulta insultante para una inteligencia promedio.

Arma tóxica de desinformación masiva

La televisión dispensa miedo (terror) a diario. Una vez el miedo entra en las casas a través del aparato de TV, inocula en la mente del espectador la dosis diaria de miedo que mantiene su adicción de los *miedoadictos*.

Los medios de descomunicación, en casi su totalidad, utilizan la adicción al miedo para dominar a las masas. Nos han declarado la guerra psicológica. Mienten, repiten consignas de arriba, silencian información y censuran al disidente. Son medios de propaganda política, herramientas de *ingeniería social* para arrebatarnos el espíritu crítico y secuestrar la verdad.

Sus efectos devastadores ya los vemos entre las personas que siguen *dormidas*: ansiedad, miedo, terror, desespero, impotencia, credulidad, docilidad, sumisión, mente colmena... han creado una *sociedad colmena* donde impera el *pensamiento único* y la libertad de opinión se castiga.

Cuando entiendes la estrategia adoctrinadora de la mayoría los medios de descomunicación, ves claramente sus trucos; como por ejemplo, llenarte la cabeza de datos, cifras, porcentajes, estadísticas... que manipulan con descaro. Date cuenta, te tratan como un ordenador, no como una persona. Cuando te dicen: «Han muerto el 3% de...» no te hablan de personas, de vidas, no muestran sus caras ni sus historias. Usan las mismas fotos para noticias diferentes en momentos diferentes. Todo son cifras para que desconectes de las emociones y te deshumanices. Si no *despiertas* pronto, en una generación nos habrán deshumanizado y convertido en un *ciborg*, o unidad transhumana, un robot biológico; tal vez viviremos con chips implantados y conectados a un ordenador central.

Usan técnicas avanzadas para hacer aceptable lo inaceptable. Pueden hacer que cualquier tabú caiga usando estrategias como *La ventana de Overton* en sus cinco fases: *de lo impensable a lo radical, de lo radical a lo aceptable, de lo aceptable a lo sensato, de lo sensato a lo popular, de lo popular a lo político*. Poco a poco, te venden lo que quieran colocarte, por absurdo que sea. Otra de sus tretas favoritas son las «leyes contra el odio» que no son más que decretos fascistas para demonizar la diversidad de opinión. Así implantan su pensamiento único y neutralizan a los disidentes.

Es así como convierten en ley una aberración; y en unos años te colocan monstruosidades como: el aborto, el canibalismo, el cambio climático o calentamiento global, la eutanasia, transexualismo,... como si fueran un derecho natural y un avance social. A la vez que implantan la inmoralidad, lucharán para destruir la moralidad; como por ejemplo, la destrucción del cristianismo que figura en su agenda diabólica. Cristianos del mundo, van a por vosotros, han empezado quemando las iglesias, asesinando a fieles, y después la O.N.U. prohibirá el culto. Otra arma que usan es un neolenguaje para eliminar todo vestigio de palabras referentes como: madre, padre, hijo... a fin de destruir el núcleo de poder que es la familia. Su objetivo es degradar a la raza humana, romperla y animalizarla para su mayor control.

Escucho testimonios de periodistas vendidos que dicen que «si contaran la verdad, se quedarían sin trabajo». O reconocen que tienen «órdenes de arriba» para no mostrar ciertas imágenes o dar cierta información. Qué vergüenza es venderse por un sueldo y vivir de rodillas.

Hoy tu mayor reto es discernir entre la propaganda y la verdad. Buscar información verdadera en Internet.

Si quieres *despertar*, desenchúfate de los medios convencionales. Infórmate en Internet en sitios que merezcan tu confianza, los hay y muchos. ¿Cómo sabrás que ya no vives bajo su engaño? Después de años de no conectarte, un día pones un noticiario y enseguida te entra la risa floja por lo que dicen y por cómo lo dicen. Solo oyes absurdos a cual peor, te parece todo muy surrealista y grotesco... un sinsentido. Las noticias se convierten en un insulto a la inteligencia de una persona bien informada. Cuando te ríes de ese esperpento, tienes la prueba de que has escapado a su manipulación.

Ni siquiera es un tema ideológico, que podría incluso entender, es puramente económico. Esto va de dinero. Si los medios vendidos y sus empleados sumisos mienten no es por defender unas ideas, sino por subvenciones y por asegurar un empleo. Los medios de desinformación son una lacra para la humanidad y una vergüenza para la especie humana.

Creo que deberías hablar con tus hijos para explicarles de la mejor manera posible, lo que está ocurriendo en el planeta para que no crezcan en el trauma del terror. Si entienden la *agenda globalista* (los niños entienden muy bien que hay buenos y malos) serán menos vulnerables a futuras manipulaciones de la élite oscura.

Algunos de nuestros niños son *semillas estelares* y están preparados para afrontar este caos porque han venido precisamente a resolverlo. De hecho, son como «cuerpos de élite» del universo que vienen aquí para liberar el planeta de la oscuridad que lo gobierna. Cuéntales la verdad (pero para eso antes tú debes conocerla) y tus hijos ya no vivirán con miedo.

BIENVENIDO AL PLANETA CÁRCEL

Los *controladores oscuros* tratan desesperadamente de frenar la *revolución espiritual* que estamos abordando. Su plan oscuro viene de muy atrás, se estableció hace siglos, ahora avanza a toda máquina porque el tiempo se les echa encima. Estamos a las puertas de una elevación de conciencia global y esto desbarata sus planes. Han obstaculizado nuestro vínculo con la divinidad hasta la fecha, pero ahora ya no pueden contener un *despertar global* que no tienen modo de reprimir.

Nuestra única oportunidad consiste en despertar ahora.

Los controladores oscuros son muy pocos en número, en cambio la gente de bien que anhelamos la paz somos muchos más. En redes, hablan del 1% y del 99%. Digamos que un 1% quiere apoderarse del mundo, para lo que utiliza a un 4% de títeres (políticos y medios). Pero un 5% de personas despiertas tratan de abrir los ojos al 90% que sigue durmiendo y por tanto es inconsciente del golpe de estado a nivel mundial (*globalismo, nuevo orden mundial o N.O.M., agenda 2030, the great reset, gobernanza mundial, gobierno mundial, nueva normalidad...*).

El terror programado tienen muchos nombres y un solo fin.

La dictadura transhumanista de los amos del mundo se apoya en: *lobbies* económicos, farmacéuticos y financieros, industria militar, sociedades secretas, agencias de inteligencia, ONG´s, fundaciones privadas, *think thank*, foros económicos, organizaciones mundiales... etc. Y usa como brazo ejecutor todas esas mezquinas organizaciones supranacionales (ya sabes, todas esas cuyo acrónimo son tres letras) que deberían trabajar para nuestro bien pero que, en realidad, son la causa de nuestros males. Se han infiltrado en todo lo que es relevante.

Nada es lo que parece, todo es mentira.

La élites oscuras han parasitado los medios de información, las redes sociales y muchas plataformas de Internet. Los partidos políticos de todo color son sus feudos y las elecciones de los países están amañadas. Sus estrategias se basan en la propaganda y el lavado de cerebro para convertir lo infame en legal. Su agenda (lo reconocen públicamente de forma sutil): aborto, eutanasia, pedofilia, género, androginia, comunismo, satanismo, canibalismo, transhumanismo... es terrorífica.

Menudo panorama, nos va a quedar un mundo muy chulo, ¿verdad?

Planeta prisión bajo la rejilla matrix

Sé que es duro saberlo, es duro reconocerlo, es duro convivir con ello... pero más duro es ignorarlo y dejar que sus *agendas demoníacas* se vayan implantando en contra de la humanidad a la que tanto detestan. Es hora de salir del campo de concentración en el que nos han metido.

Vivimos en un *planeta granja* donde somos *cosechados* como animales. ¿Entiendes ahora su interés por vender *comida basura*? Quieren implantar una *mente colmena* donde no haya disidencia. Y tratarnos como ganado de matadero sacándonos provecho de diferentes maneras. Actúan de forma coordinada, todo está programado, buscan alimento energético y físico, habitamos en una *granja prisión*.

El planeta Tierra es una cárcel para los humanos; aunque esconden los barrotes para que así les dejemos avanzar en su perverso plan, en unos años sí serán visibles y evidentes, si es que no reaccionamos ahora con determinación. Nada nos puede detener si nos adherimos a la dignidad y dejamos de colaborar con los oscuros.

Todo está de nuestro lado pero es precisa la determinación por parte de cada uno de nosotros: *despertar a la verdad*. Dejar de colaborar en esta farsa mundial. El mundo que soñamos no vendrá por sí solo, será un premio a nuestra toma de poder personal.

Cuando despiertes y veas sus trucos de tahúr ya no podrás dejar de verlos aquí y allá, en esto y en aquello, descubrirás el engaño masivo al que nos han sometido durante siglos. Y dejarás de ser manipulable. Y eso, créeme, es lo que más temen (recuerda que les ganamos por número y por mucho).

El momento de despertar es ahora o nunca, pues en unos años (desde luego tú lo vivirás) ya no serás tú quien piense libremente, todo te será implantado en la mente. Te habrán robado la libertad, y algo mucho peor: el alma y el futuro de tus hijos. Abre los ojos antes de que sea tarde para ti y los tuyos. Despierta al gran engaño, recupera tu poder personal y el control de tu futuro.

Su objetivo es el «transhumanismo»: convertir a los humanos en robots biológicos o híbridos. Aspiran a conectar nuestra mente a sus ordenadores con nanotecnología y ejercer un control mental masivo y totalitario. Tal vez, nosotros seamos los últimos humanos previos a esa subespecie de *cyborgs*. Tienen la tecnología solo les falta convencernos o imponerla por la fuerza y la coerción.

Di «No» a lo inaceptable. Es un tema de dignidad.

3

LA ASCENSIÓN A 5D

QUÉ ES LA ASCENSIÓN

Abrimos una nueva conversación de café para la alquimia interior.

Seguro que habrás oído hablar de la «ascensión» desde la tercera dimensión/densidad a la quinta. Estamos inmersos en un tránsito de densidad, de modo análogo a como el agua pasa de solida a liquida y a gaseosa. Voy a tratar de explicarte lo que yo siento verdadero al respecto sin perderme en fantasías *new age*. Aunque no sé si lo conseguiré, el tema es muy sutil. Voy a utilizar la palabra *densidad*, en lugar de *dimensión* porque creo que se ajusta más.

De entrada, pienso que el cambio que afrontamos no es espacial sino vibracional. Dado que el escenario de la ascensión, es el mismo, el cambio es cualitativo. Una nueva forma de vivir en el planeta: vivir desde el corazón. El viaje no es en el exterior sino en el interior. No vamos a desmaterializarnos, quédate tranquilo. El reto es un cambio de consciencia. La 5D aumenta la frecuencia vibracional, eres más luminoso, pero te mantienes enraizado en la materia de la 3D. Te permite convertirte en una versión de ti mismo más ligera y luminosa, pero sólida.

Esta reflexión me permite introducir la *codensidad*. ¿Podemos simultanear la 3D y la 5D? Sí, podemos alcanzar una vibración más alta y seguir en este plano. Recuerda que somos seres multidimensionales en diferentes densidades que se superponen una a otra como las muñecas rusas. Podemos estar en dos densidades a la vez. Si tocas el piano, sabrás que puedes tocar una nota, y a la vez con la otra mano, esa misma nota una octava más alta, ambas en perfecta armonía.

De niño, antes de cumplir diez años aprendí que «hay otros mundos, pero están en este», lo recuerdo de los libros que leía mi madre y lo tengo siempre muy presente. Somos seres multidimensionales, ascendemos y descendemos en una espiral de frecuencias que se contienen como un set de muñecas rusas.

Consideremos nueve dimensiones o densidades (aunque la divinidad puede crear infinitas más allá de lo imaginable). Cada densidad es un nivel de conciencia diferente, a través de los diferentes cuerpos, en una espiral ascendente.

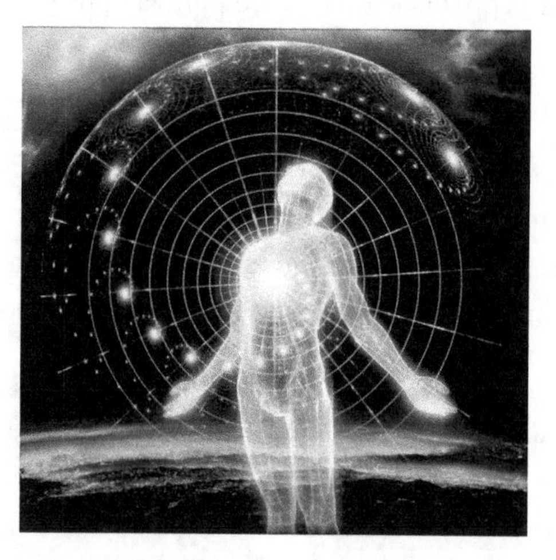

Cuerpos en espiral: mental, emocional, espiritual

Para salir de dudas y de la mucha confusión que hay en este tema, vayamos a lo macro para descender después a lo micro. Ya sabes que *como es arriba es abajo* y *como es afuera es adentro*.

Lo que quiero que entiendas es que ahora ocurren muchas cosas de las que no somos conscientes pero que nos afectan profundamente. El cosmos nos afecta y nosotros afectamos al cosmos. Para ponernos en contexto, debes saber que la Tierra a demás de rotar alrededor del Sol, está inmersa en la rotación del sistema solar completo alrededor de otro sol, Alcíone, que es la estrella central de las Pléyades. Sin olvidar que nuestra galaxia tiene un centro...

Como planeta, transitamos a través de *eras*. En la actualidad, salimos de la era de Piscis (activación de la espiritualidad) para entrar en la era de Acuario (activación de la iluminación). Prefiero no dar fechas al respecto porque hay diversas opiniones. Y así como nuestra órbita solar tiene cuatro estaciones, nuestra órbita respecto al sol central de Alcíone tiene cuatro eras (dos de luz y dos de oscuridad).

La ascensión significa volver a ser uno con la divinidad.

La buena noticia, apuesto a que la esperabas, es que estamos cerrando un período de oscuridad que duró nada menos que 11.000 años y entramos en una *era de luz* que durará 2.000 años. Lo que se conoce como una *edad de oro*. Nuestro paso por el cinturón de fotones del sol central Alcíone, está modificando ahora mismo nuestra frecuencia (y la del planeta Tierra).

No hay nada que debas hacer, salvo trascender el miedo y enfocarte en el Amor que es la energía luz de la 5D. Es nuestra responsabilidad salir de la cárcel del miedo que los *controladores oscuros* y sus títeres han creado para tratar de evitar esta elevación planetaria.

Estamos en medio de una *guerra mística*. El mal pretende boicotear tu evolución espiritual y cortar tu conexión con la divinidad. No puedo decirlo más claro, es real. Creo que el planeta se mantiene de forma artificial en la 3D cuando lo propio sería la 5D. De hecho, la bíblica *Caída* es el descenso dimensional forzado a la 3D por el mal que subyuga a nuestra raza desde hace más de doce mil años.

Los controladores oscuros llevan décadas boicoteando la ascensión y lo hacen de diferentes formas para que no puedas conectar con la chispa divina que hay en ti. ¿Cómo lo hacen? Intoxican tu comida con transgénicos, aditivos en la comida, azúcar, etc. Lanzan consignas nutricionales erróneas para que la gente enferme con pésimas dietas. Contaminan el ambiente con 5G, HAARP, satélites, chemtrails, etc. Te envenenan con vacunas, medicamentos peligrosos, adicciones a drogas, etc. Todo ello con el fin de arruinar tu organismo y mente para que tu espíritu no pueda vibrar en frecuencias elevadas de iluminación y acceder la siguiente Edad de Oro de la humanidad.

El planeta Tierra, como entidad viva, tira de la humanidad para que eleve la frecuencia de su nivel vibratorio de acuerdo con las actuales frecuencias de la Madre Tierra. Además contamos con ayuda adicional que proviene del cosmos. El ascenso en el nivel de la conciencia traerá grandes cambios como trascender la polaridad y el libre albedrío. Se habla mucho de este tema y a veces con mucha confusión. Es tan sencillo como operar desde una frecuencia superior con una vibración más rápida, lo que implica asimilar un caudal mayor de luz.

Nuestro siguiente paso evolutivo es un nivel de conciencia en el que la única opción es vivir desde el Amor de la divinidad sin que sea una opción elegir lo contrario (el miedo o ausencia de amor) como hasta la fecha. Es tiempo de manifestar cualidades divinas en un cuerpo humano.

La quinta densidad (5D) es un estado de conciencia más elevado del que es común en la tercera densidad (3D). Ambas dimensiones o densidades vibracionales coexisten: una es de unicidad y la otra de dualidad, una es de temor-amor y la otra es de Amor, una es incoherencia interna y la otra es coherencia interna...etc.

En mi opinión, la 5D es la 3D mejorada y ampliada. Si te preguntas qué ocurre con la 4D te diré que es un plano no material, es intangible, es el espacio para entidades del bajo y alto astral. Es un *adendum* de la 3D para entidades no físicas o desencarnadas. La 4D sería algo así como el «banquillo» de los jugadores que no están jugando en la cancha 3D y tampoco en la

5D. Para ascender a la 5D debemos trascender todos los traumas emocionales y apegos mentales que actúan como un ancla que nos impiden trascender. De ahí, que el control mental y emocional sea una disciplina tan importante en el desarrollo personal.

La 5D es una frecuencia vibratoria del ser. La 5D es un estado de conciencia, un paradigma muy diferente a la dualidad que conocemos. Un estado caracterizado por amor incondicional, ausencia de juicio, superación del libre albedrío, pensamiento divino, empatía y compasión y ausencia de miedo. La 5D es la conexión con nuestra dimensión divina. En la 5D la espiritualidad es tan esencial como lo material, en proporción 50% y 50%. Es un estado de conciencia en el que no tiene sentido el libre albedrío porque la certeza es total (la duda y la incertidumbre son cualidades 3D).

La ascensión tendrá efectos sustanciales en nuestro cuerpo y nuestra mente. Deberemos adaptar nuestra naturaleza para navegar hacia todos los planos dimensionales, adaptándonos a las necesidades de cada uno de esos planos. Se dice que pensaremos más rápido, nuestro cuerpo enfermará menos, comeremos y dormiremos menos, experimentaremos la multidimensionalidad, la conexión mente-realidad tendrá efectos inmediatos... etc.

La autora Susan Shumsky en su libro *Ascensión*, detalla varias opciones en el proceso de ascensión entre las cuales me centro en estas dos:

El camino evolutivo convencional que plantean las filosofías orientales, largo y penoso, de la reencarnación, la rueda del samsara bajo la *ley del karma*. Es la vía más popular de las tradiciones espirituales. Sospecho que es una trampa de los controladores del planeta y están bloqueando el proceso evolutivo. Los *señores del karma* son una trampa para mantener a las almas en un ciclo sin fin de vidas con sufrimientos innecesarios y aprendizajes repetidos de todo lo cual se alimentan las entidades astrales. Jesús fue enviado para liberar a la humanidad del mal. Los gnósticos lo plasmaron en sus textos que han sido desacreditados por la versión oficial de la iglesia.

La iluminación en vida. Es la iluminación durante la vida y no después. Aquí se trasciende el renacimiento, el samsara (ciclo infinito de reencarnaciones) y las cuentas pendientes del karma. Puedes decidir no volver a nacer porque tienes una visión completa del juego de la vida y sus reglas. En el momento de morir se abren dos opciones: fundirse con la fuente o divinidad y renunciar a la individualidad espiritual, o seguir conservando la individualidad espiritual como un *ángel*; es decir, ascender como cuerpo de luz para ser un *maestro ascendido.* En ese caso, se conserva la individualidad espiritual, sin fusión con la Fuente.

Pudiendo elegir, prefiero no volver a empezar de cero porque valoro en mucho lo aprendido; y puestos a pedir, me pido la ascensión a la *individualidad espiritual* desde donde poder servir y así descartar el renacimiento o reencarnación. Ya he tenido bastante de reencarnar en un bucle sin final y en un planeta parasitado por entidades desde la 4D.

Se me hace cansado ascender por una escalera de infinitos peldaños que exigen, con el renacimiento, poner a cero el marcador de la memoria para empezar una vida nueva con la esperanza de que sea más auspiciosa que la anterior.

Creo que estamos en *cuarentena planetaria* bajo una *Matrix* que nos impide abandonar el ciclo de reencarnaciones. Habitar un cuerpo en la 3D es interesante, pero cuando entiendes la manipulación y la parasitación a la que somos sometidos, no tienes el más mínimo interés en repetir.

Siento como muchas almas están ya agotadas, desencantadas, sin fuerzas en un ciclo sin fin ni salida (*planeta cárcel*). Saben que están siendo abusadas por las entidades que controlan el planeta pero no saben cómo salir de esa cárcel. El camino de la liberación es despertar a la verdad, recuperar el poder personal y negarse a ser cosechado (reencarnar en la 3D bajo la presión arconte). Partir con la determinación de regresar a la Fuente y desde allí elegir en libertad el siguiente paso me parece justo.

Todo por elección, nada por imposición.

Así es la declaración de liberación: «Decreto el final del samsara, me declaro libre de karma. Apelo a mi derecho de libre albedrío como chispa de la divinidad que soy. Y elijo no reencarnar más en este *planeta cárcel*». Yo de ti lo escribiría como declaración de intenciones

Pero me estoy alejando del tema.

Para ir concretando y hacernos una idea del cambio que supone la ascensión, en este cuadro puedes ver características de 3D y 5D a modo de resumen:

3D	5D
Polaridad	Unicidad
Libre albedrío	Certeza
Temor	Amor
Separación	Unidad
Mente	Corazón
Egoísmo	Compasión
Karma	Inocencia
Denso	Sutil
Tridimensional	Multidimensional
Temporal	Atemporal
Ego	Yo Soy

Ten encuenta que de igual manera que podemos ascender también podemos descender. De hecho, la humanidad ya ascendió y descendió de la 5D con anterioridad (civilizaciones antecesoras a la actual: Lemuria, Atlántida), se conoce por la Caída. Es algo que sucede continuamente en todo el universo y ocurre de forma gradual y no repentina. La degeneración de las sociedades, así como la influencia de entidades de otros planos, pueden desencadenar ciclos regresivos que se alternan con otros positivos.

La filosofía hindú lo tuvo siempre claro: definió los cuatro ciclos evolutivos llamados *Yugas*.

Las Yugas o Iugas (eras en sánscrito) son la explicación de la alternancia entre la luz y la oscuridad. Según los hindúes, evolucionamos a través de las cuatro edades del Ciclo de la Vida (Satya, Treta, Dwapara, Kali). Salimos ahora de Kali Yuga, donde nuestras capacidades espirituales y psíquicas están reducidas a lo que sería lo natural.

Entramos en Satya Yuga, *la era dorada*, donde todos nuestros dones despertarán y el velo entre lo material y los espiritual se volverá trasparente. Las eras de luz, o eras doradas, se extienden por miles de años. Según esta tradición de sabiduría, son eras de paz y espiritualidad.

La era de oscuridad es tiempo de ignorancia, la era dorada es tiempo de sabiduría. Nos movemos como un péndulo oscilando del materialismo a la espiritualidad y viceversa. Ahora afrontamos el final de una era de oscuridad para dirigirnos de nuevo a una era dorada.

BENEFICIOS DE LA ASCENSIÓN

Una chispa de Amor es una nota, varios momentos de luz al día son un acorde, y un día completo en la paz interior es una sinfonía completa. Somos cuerdas vibrando en medio del cosmos. Cada vez que elevas tu frecuencia vibratoria, te es más fácil volver a hacerlo después y mantenerte ahí (anclarte en la 5D). Al principio, oscilarás entre la 3D y la 5D, vas y vienes, hasta que te puedas mantener más y más tiempo. Una vez en la 5D, tendrás acceso a los chakras superiores o extracorpóreos que son del noveno al duodécimo, todos ellos fuera de tu cuerpo, encima de tu cabeza.

El séptimo chakra, en tu cuerpo físico, sobre tu coronilla, es el portal a tus cuerpos superiores y resume la síntesis de los cuatro chakras superiores. Cuando lo activas (la meditación es el camino), sentirás sensaciones de hormigueo debido a su movimiento y mayor velocidad de giro. Por encima de él, el noveno chakra es el campo de todas las posibilidades creativas. El décimo chakra es el portal del Yo superior, del conocimiento y la sabiduría, el super consciente. El undécimo chakra es el alma o espíritu. Y el duodécimo chakra en la consciencia pura, divinidad, la Fuente. No me olvidé del octavo chakra que se sitúa un palmo fuera de tu cuerpo, y bajo tus pies, es el portal energético que materializa y concreta las probabilidades en el 3D.

Densidades/Dimensiones (9), chakras (12), hebras ADN (12) se combinan e interactúan en un contexto esotérico que apenas vislumbramos y que sin duda es la simplificación de una cosmovisión inconcebible para nosotros.

Sabrás que estás en la vibración de la 5D cuando:

- Sientes compasión y empatía.
- Tus habilidades se agudizan.
- Pasas del saber al ser.
- Te comprometes con la coherencia.
- Eliges desde el corazón y el amor.
- Conectas con tu Yo superior.
- El ego y el miedo ya no son tus dueños.
- Sientes paz por todo y por nada.
- Cumples con tu misión.
- No te importa lo que digan de ti.
- Recuerdas vidas pasadas.
- Destellos de telepatía.
- Tienes buena suerte.
- Fin del miedo.

Sabes intuitivamente que ya has vislumbrado la 5D porque estás en paz y eres ecuánime en situaciones complejas. Tu trato se hace más compasivo y amable. Te preocupas por los demás, no solo por ti mismo. A nivel físico, puedes sentir un sin fin de síntomas: ensoñación diurna, alteraciones de los ciclos del sueño, dolores de cabeza, aceleración del tiempo, conexión interior, pérdida de la consciencia del tiempo y certezas intuitivas inexplicables (desde aquí escribo este libro). Cada cual vive este proceso de despertar a su manera.

Lo contrario, la resistencia a la ascensión, podría somatizarse con angustia, miedo, ansiedad, desesperación, limitación, depresión, pánico, tristeza, desesperanza... debido a que las frecuencias bajas no son compatibles con los actuales picos de frecuencia vibratoria de Shumann. Hasta los años noventa nos movimos en promedios de 7,8 Hz. de frecuencia vibratoria planetaria. Pero al inicio del año 2000 ya estábamos en 13 Hz. lo que es la frontera vibratoria del tercera dimensión 3D. Y sigue subiendo... allá vamos.

En síntesis, el planeta vibra cada vez más alto, y aquel que no ascienda su vibración estará en disonancia y va a pasarlo muy mal. Muchos no podrán resistirlo y tendrán que replantearse seguir o partir.

Pero hay más, el planeta está experimentando una reducción de la intensidad de su campo magnético. Ello deriva en una rotación planetaria más lenta; y en el punto cero, la inversión de los polos magnéticos norte-sur y posteriormente el incremento de nuevo del campo magnético y reinicio de la rotación planetaria (¿invertida también?). Además de la estabilización de la resonancia en 21 Hz. Es algo que ya ocurrido otras veces. ¿En qué nos afectará el aumento de la resonancia vibratoria del planeta y la disminución del campo magnético? No sé tanto, pero sin duda en una parada técnica de nuestro mundo tecnológico por tres días y en el despertar de las conciencias y su ascensión o cambio de densidad.

La resonancia de 7-8 Hz. es propia de un ser (humanidad) «dormido», sin embargo los 12-13 Hz. corresponden a un ser (humanidad) «despierto». ¿Ves el significado de este cambio?

Ya dije que ascender se trata de un cambio de frecuencia de vibración. Confieso que yo mismo empecé a experimentar parte de lo expuesto en la lista de arriba hace tiempo. Por eso veía el mundo al revés. Iba a la contra. Intuía que estaba ascendiendo evolutivamente porque me sentía como un «pulpo en un garaje», me parecía andar por el techo y ver el mundo al revés. Era «raro».

Como ya expliqué, la 5D es un estado de consciencia ampliado. Si te preguntas cual es la diferencia básica entre la 3D y la 5D... la cesación de la polaridad y el libre albedrío. En la 3D puedes elegir entre el amor o el temor, entre el bien y el mal. En la 5D esa elección no es una posibilidad (qué alivio), solo hay una elección y es el Amor. No hay otra opción. En la 5D no existe la dualidad, los opuestos (para eso ya tenemos a la 3D). Para ingresar en la 5D, haces tu elección en firme. No dudas en qué es correcto y qué no, te anclas en lo verdadero. Punto.

Sabemos que la humanidad está pasando de una realidad polar, el bien contra el mal, a una nueva realidad carente de polaridad (el bien). En la 5D no hay que elegir, pues ascender ya es la elección. Ni la luz ni el amor tienen opuestos, son la única realidad en la 5D.

El *multiverso* es la proyección de los diferentes niveles de conciencia jugando al escondite. El término *multiverso* fue acuñado por Andy Nimmo (vice-director de la British Interplanetary Society de Escocia) en 1960, en su discurso sobre varios-mundos cuánticos. La definición original de *multiverso* es entonces: «Un universo aparente, una multiplicidad de universos que se combina para ser el universo entero». Pon atención a este detalle, te presento el *Big Bang* del *Big Bang*. De un universo, muchos universos.

En la 5D, la mente cede el control al corazón y vives desde el corazón. ¡Boom! Eso significa un cambio en la intensidad de nuestro campo energético. Los estudios señalan que el emisor electromagnético más potente de nuestro organismo no es el cerebro, sino el corazón y ¡por mucha diferencia! El corazón es el centro de un *campo toroidal* (como en la siguiente imagen) de energía circular que emite y recibe energía en correspondencia.

Lo que emites vuelve a ti, es la ley de tu campo toroidal

Ventajas distintivas de la ascensión a 5D:

- Eres más amable y empático.
- No decides, te dejas guiar.
- No dudas, confías.
- Tus habilidades se expanden.
- Careces de objetivos.
- Te conectas con lo divino.
- Te liberas del karma y la reencarnación.
- Accedes a los chakras superiores.
- Eres más sensitivo a la belleza.
- Activas capacidades psíquicas.
- Atenúas la enfermedad y envejecimiento.
- Necesitas menos comida y sueño.

Siempre he pensado que nuestra expectativa de vida (unos 75-80 años, según el país donde vivas) es una estafa biológica. En mi opinión, los humanos deberíamos poder vivir varios siglos y en buen estado, incluso una cantidad de tiempo elegida de antemano. No me cuadra nada que cuando empiezas a reunir la experiencia y conocimiento esenciales para una vida plena, tu cuerpo flaquee y de poco te sirva tu sabiduría. Me parece un derroche innecesario. Creo que la humanidad recuperará su longevidad natural cuando se reactive su ADN completo de doce hebras pasando así de la supervivencia (dos activas) a la superexistencia (doce activas).

La ascensión no supone un cambio de lugar, ni de tiempo... es un cambio de conciencia.

Jose Argüelles, experto en la cultura Maya, afirma que en 1987 la humanidad empezó a resonar con la vibración que nos llegó del centro de la galaxia. Eso supuso un cambio notable de conciencia grupal. Fue precisamente entonces cuando yo sentí un llamado muy fuerte para dar un giro hacia la espiritualidad. En mi caso, fue cómo darle la vuelta a un calcetín: de pronto lo material pasó a un segundo plano y lo espiritual a un primer plano. Y ese cambio ocurrió literalmente de la noche a la mañana. Y lo mejor de todo: ha sido irreversible.

Diferentes fuentes señalan el período de 1987 a 2012 (veinticinco años) como un punto de inflexión en la línea del tiempo para la evolución y el despertar humano. Una transformación de la conciencia humana. Me sumé en el principio de esa ola.

Yo sentí la *llamada* en 1988. Fue un despertar repentino, claro y sin paliativos. Abrí los ojos por primera vez en ese año (luego te cuento cómo) y me comprometí para el resto de mi vida con el desarrollo espiritual. Antepuse mi despertar espiritual a cualquier otro objetivo en el mundo. Recuerdo perfectamente confesarle esto mismo a las personas más cercanas quienes lo recibieron con extrañeza. Expresé mi voto devocional al mundo.

Tal vez, en ese período de transformación de conciencia, el paradigma más rompedor e innovador fue: «El pensamiento crea la realidad», popularizado por la entrañable Louise Hay. Suena ahora muy básico, pero entonces fue revolucionario. En los años 80 fue un punto de inflexión. Hoy, no solo es una verdad, sino que constatamos a diario que el pensamiento cada vez se materializa con más velocidad que antes. Y en la 5D ese proceso es instantáneo e inevitable.

Una vez más, junto a la polaridad se agota también el karma y el samsara (o rueda de la vida). Menudo descanso, ¿no te parece? Cuando despiertas al gran engaño, ya no es necesario volver a empezar desde cero, vida tras vida sin final, para mayor gloria de las entidades parásitas. Es hora de dejar de olvidar quién somos, de poner el contador a cero vida tras vida. La cesación del karma también es un cambio liberador para la humanidad. No descarta las reencarnaciones, solo que ahora son voluntarias, sin deudas, sin asuntos pendientes, ya no están marcadas por el karma, y pueden ser aquí o en otro planeta. Ascender a una densidad superior es una elección libre, sin restricciones.

> *Haz esta solemne declaración: «El karma ha terminado para mí».*

Las deudas son la especialidad de la élite oscura financiera y que retienen a la humanidad y nos obligan a reencarnar en una rueda de samsara sin fin para evitar que ascendamos a dimensiones superiores, fuera de su control. La deuda financiera nos esclaviza en lo material y la deuda kármica nos esclaviza en lo espiritual. Nos quieren de vuelta en su granja humana o planeta cárcel para someternos a su crueldad.

Cuando abandones tu cuerpo, espero que falte mucho, no caigas en el engaño, elige volver sin karma o ascender a otros planos o incluso planetas, pero libre de deudas. Cuando abandones tu cuerpo y los señores del karma traten de convencerte de que debes regresar aquí por alguna razón, niégate si no es tu voluntad. No pueden forzarte a volver, ni devolverte al planeta prisión.

Hazles un buen corte de mangas a los controladores.

El karma es un concepto arcóntico que ha sido infiltrado en varias filosofías para asegurar el suministro de almas humanas. No es más que culpa y miedo que un ser consciente no necesita para nada. El temor solo alimenta a los entes oscuros que quieren retenernos ignorantes y en baja frecuencia vibratoria. Cuando hayas declarado con firmeza el fin del karma (como te expliqué antes), conseguirás tu pasaporte para salir de la *Matrix* y ya no podrán controlarte.

El karma es un atraso que encaja en una densidad dual (bien y mal); pero cuando se asciende a 5D, el karma carece de sentido. No hay nada que elegir, ya se decidió. Trascendido el pensamiento dual, el karma es irrelevante, solo existe el bien. Otras herramientas de aprendizaje, como el tiempo lineal, desaparecen también porque dejan de ser necesarias.

Hay muchos otros lugares en este universo más avanzados espiritualmente que nuestro planeta y también otros que lo están menos. Así mismo, hay universos de luz o de oscuridad en el *multiverso.*

Trascender la polaridad es lo que le da sentido a la densidad 3D. Nuestro planeta es un escenario de polaridad, de contrarios, de bien y de mal, de luz y de oscuridad. Tu cuerpo es la mejor metáfora: está preparado tanto para el placer como para el dolor. Pero nuestro planeta pertenece a la 5D.

Adiós polaridad. Hola certeza.

Adiós karma. Hola libertad.

Adiós conflictos. Hola paz.

Como dije, yo no tengo ninguna intención de volver a este manicomio/cárcel a cielo abierto llamado planeta Tierra. Ya he tenido bastante y me pido un lugar más evolucionado si es que decido regresar de las dimensiones superiores a la 3D. Desde luego, no pienso volver a poner el marcador a cero con el borrado de memoria y empezar de nuevo, he hecho demasiado trabajo como para tirarlo por la borda. El samsara (ciclo de reencarnaciones sin fin) es, según mi entender, un cuento chino.

Cuando no reencarnas, te conviertes un *maestro ascendido* en diferentes dimensiones. Un *maestro ascendido* es un alma iluminada que ha refinado su frecuencia hasta elevar su cuerpo físico a un cuerpo de luz. Por así decirlo, están más para allí que para aquí. Numerosos *maestros ascendidos* han reencarnado en el planeta a voluntad o siguen apoyando a la humanidad desde planos superiores.

Entrar en contacto con un *maestro ascendido* que ha reencarnado aquí es una experiencia transformadora. Te pondré un ejemplo. En octubre de 2003, fui invitado por unas amigas al evento de la santa india conocida por *Amma.* ¿Has oído hablar de ella?

Mata Amritanandamayi Devi, que así se llama, es muy popular en todo el mundo, la llaman *Madre* o *La madre de los abrazos* porque se pasa la vida viajando por el mundo abrazando a todo aquel que esté dispuesto a recibirlo (y esperar muchas horas de fila para conseguirlo).

Acudí al polideportivo de la Mar Bella de Barcelona, que estaba atestado de gente, y allí me dieron mi puesto, que estaba por el ochocientos. Pero mis amigas me lo cambiaron por el cuatrocientos y después por el cincuenta, de modo que redujeron mi espera por muchas horas. De no ser por eso tal vez me habría ido a casa sin esperar a que me tocase el turno.

No sabía muy bien por qué estaba allí. Ni qué podía esperar.

Pero a veces, la vida te sitúa en el lugar preciso en el momento adecuado.

Y solo tienes que dejarte llevar para ver cómo se desarrollan los acontecimientos.

Amma repartiendo abrazos por el mundo

Al poco rato de llegar, llegó mi turno, me acerqué a aquella devota mujer para recibir mi abrazo. No esperaba nada, iba sin expectativas. Y créeme si te digo que casi me desmayo de felicidad en sus brazos. Nada mas recibir su abrazo, sentí una paz interior que no es de este mundo (nunca experimentada) y supe a ciencia cierta que la muerte era esa paz y felicidad combinadas. Tal cual.

La impresión que sentí en sus brazos fue la eternidad. Tres conceptos me atravesaron: *muerte, felicidad, paz infinita*. En un segundo supe, sin ningún genero de dudas, que morir era regresar a esa paz que sentí en sus brazos. La eternidad, con esa ambriagadora emoción, me parece un plan sublime, inmejorable.

Dicen que para perder el miedo a la muerte lo mejor es casi morirse en una experiencia cercana a la muerte (ECM) y regresar... pero yo añado esta otra mucho más agradable: un abrazo de Amma. Pruébalo y verás.

En resumen, el planeta Tierra como entidad viva que es, está en transito de la polaridad a la unidad; y tú decides si te apuntas. En un caso u otro, 3D y 5D, el escenario es el mismo, pero la experiencia humana se diferenciará notablemente según el estado de conciencia.

Y no me preguntes cómo porque es algo que no hemos experimentado antes.

COMO ASCENDER A LA 5D

Si estás leyendo este libro, tienes un indicio de que respondiste a la *llamada*. La ascensión ya empezó para ti. De otro modo, no tendrías la apertura y visión para afrontar el presente material. Pero antes de que hagas «la ola», debes saber que esto es un proceso y no un evento instantáneo. Cuanta más paz interior sientas, más cerca estás de dimensiones superiores. Cuanto más dure esta paz en ti, más estable es tu posición en la 5D.

Para conseguirlo, lo primero que debes hacer es pedir para recibir. Pide cada día despertar en la 5D. Pídelo al acostarte, pídelo a tu Yo superior al meditar, pídelo en tus oraciones si es que rezas. Pide y se te dará, sin condiciones y sin méritos, basta tu buena voluntad.

Lo segundo es anhelar el Amor como ninguna otra cosa. Un deseo intenso de amar con una clase de amor no conocido antes. Y ha de ser más fuerte que cualquier otra motivación mundana (fundirse con la divinidad). Si eres cristiano, reconoce al Cristo que hay en ti, ese es el espíritu 5D. Reclama ese espíritu en ti a diario.

En ese proceso de volver al Amor, empezaremos a tener breves experiencias de ascensión. Al principio, vas y vuelves, entras y sales, pero un día te anclarás. Pregúntate cuánto tiempo de tu jornada estás en alta vibración: ¿un 75%, un 50%, un 25%? En tu jornada hay un poco de todo, lo importante es que progreses aumentando ese promedio día a día.

¿Cómo sabemos que el planeta (entidad viva y sensible) entró en la quinta densidad 5D? Eso es más sencillo, se puede estimar con la medición de la resonancia Schumann. Busca este dato diario en Internet. En el pasado, la vibración de la Tierra estaba en una media 7-7,5 Hz, para pasar a los 12 Hz de promedio en los últimos años. Pero en verano del 2020 ya se registró un pico de 40 Hz lo cual indica la plena ascensión sin ningún género de dudas. De momento son picos, no promedios, pero hay quien predice que para el 2022 nos estabilizaremos en una frecuencia Schumann para el planeta de 35-40 Hz, es decir, 5D anclada.

> *El universo nos está literalmente bañando en luz-conocimiento que nos transforma.*

Ahora mismo está llegando luz codificada, fotones, para ayudar a la humanidad a despertar y activar sus hélices o hebras de ADN. Están despertándose muchas neuronas dormidas, nuestra capacidad cerebral se está estimulando de forma acelerada desde el centro de la galaxia. Lo que antes tomaba décadas ahora apenas unos años. Las personas que despiertan ahora avanzan a un ritmo más rápido.

Te recomiendo meditar a diario en la luz y sobre cómo se acomoda en tu cuerpo, baña todas tus células y eleva tu conciencia a nuevas frecuencias vibratorias. De forma gradual, habrán de despertar talentos dormidos, percepciones y conocimiento ancestral. No me refiero a aprender con un proceso de estudio, sino a saber de forma espontánea. Algunos activarán capacidades psíquicas, otros simplemente despertarán a la verdad y abandonarán su adicción al miedo. El cosmos está de nuestro lado, el tiempo de la oscuridad se ha terminado, el de la luz empieza. Es ley cósmica y nada puede detenerla.

Ahora mismo, la Tierra se halla en una zona donde recibe un baño intensivo de fotones que desmantela la malla jaula o *Matrix* arcóntica que retiene nuestra evolución espiritual. Su rejilla ha sido perforada literalmente y entra una ingente cantidad de luz-conocimiento.

Reactivaremos nuestros doce hebras del ADN originales, que activan los *doce chakras* o vórtices del cuerpo. Si hasta la fecha hemos ido tirando con solo dos filamentos ADN, imagina la gran diferencia que se abre ante nosotros. Este es un momento muy interesante para estar aquí y no dudes que elegiste protagonizar este histórico salto evolutivo.

Nuestro cuerpo se llena de luz, y de los códigos o frecuencias que viajan en la luz. Nuestra memoria esencial se activa y podemos recordar quiénes somos en realidad. Eso es despertar. Muy pronto la humanidad, como familia de luz, conocerá su poder, su *multidimensionalidad.* De propina sabrá que no estamos solos en el universo. El momento está cerca y es inevitable, está ocurriendo a pesar de todos los obstáculos que se han creado para evitarlo.

Este proceso es imparable, lo que cada uno elija (expandir su consciencia o no) se traducirá en despertar o seguir durmiendo (pero el sueño será pesadilla). Para quienes elijan seguir en la 3D su incoherencia con el planeta se manifestará de forma más aguda y rápida, su vida será peor. Para quienes asciendan, la coherencia con el planeta se manifestará también de forma más aguda y rápida, su vida será mejor. No es una elección que se tome con un «Sí» o un «No», se toma ajustando la frecuencia vibratoria o «estado de consciencia».

Puede que ya hayas notados síntomas propios de 5D, que confirman que tu proceso ya ha empezado, de modo que percibirás sensaciones físicas y psicológicas que corroborarán tu conexión divina. Si te sientes abrumado por los enormes cambios que percibes y su rapidez, piensa que pediste estar aquí ahora, e hiciste una larga espera para conseguir una entrada en esta *final five* y que en la reventa tu entrada no tiene precio. Felicidades por formar parte de esto.

Sea como fuere, estamos al final de este café y sigues sin una fórmula clara para ascender. He de decirte que yo no la tengo. Pero vaya por delante esta lista de tareas, sin el ánimo de ser exhaustivo:

1. Debes entender qué es la ascensión, en qué consiste y admitirla como opción real.
2. Debes pedir tu ascensión, comprometerse ahora.
3. Debes ser uno con la divinidad, tanto como te sea posible.

Yo lo resumo con *despertar*. Y tal vez, la pregunta que te haces: «¿Y cómo soy uno con la divinidad?» En mi opinión, todo lo que te acerque a tu Yo real es un camino a la unidad con la luz. Es necesario aceptar (lo cual no es poco) que esa luz ha estado ahí desde siempre, detrás de un velo oscuro. Visualizar, decretar y preguntar te ayudará a hacerlo real para ti. La meditación que aúna la pineal con la pituitaria despierta la auto consciencia y la unidad. Al menos, a mí me funciona.

A nivel energético, yo funciono así (lo llamo *proceso chakra*): le pregunto a mi Yo superior qué es lo adecuado respecto a lo que estoy enfrentando o preguntando (chakra diez), el conocimiento esencial baja al campo de todas las posibilidades creativas (chakra nueve), de allí la mejor opción se concreta y aterriza en mi mente (chakra siete) a través de una experiencia meditativa, intuitiva, sincronística... y se me hace evidente; y desde allí, circula través de todos mis chakras corporales que la aceleran para enviarla al chakra ocho, de las probabilidades manifiestas, la realidad visible y mundana.

Volviendo a qué hacer se responde con: despierta, toma poder, vibra alto. Uno, dos y tres.

La acción es interior pero se plasmará en el exterior. Eleva tu frecuencia, despierta, y poco a poco verás como el inconsciente colectivo refuerza su poder y manifiesta en el mundo grandes cambios. Presiento que los próximos cinco años serán muy interesantes en este sentido. El velo oscuro caerá, el despertar a la verdad será masivo y no habrá vuelta a atrás. Quien quiera seguir con el «mal rollo» de antes, tendrá que emigrar. Es tiempo de empezar a vibrar alto (emociones limpias, pensamientos elevados, acciones puras). El tren empieza a arrancar...¿te subes?

Me olvidaba de tu otra pregunta: «¿Cuándo ocurrirá?» Eso no es de nuestra incumbencia. Las cosas suceden en su momento (cuando tienen más opciones de prosperar) y solo la perfección sabe cuándo es. Ni tú ni yo lo sabemos.

Si quieres entender lo expuesto con un gran video, en el canal de lbry.tv *Matrix Revelada* encuentras este video que te permitirá entender este capítulo: https://lbry.tv/@MatrixRevelada:8/Los-Voluntarios:0

4

LA EXPERIENCIAS SON FRECUENCIAS

LA FORMA DEL SONIDO

Al principio era el verbo... Y el verbo es sonido, y el sonido es vibración. La expresión védica «Nada Brahma» (todo es sonido) refleja que todo es vibración. Una de las disciplinas del yoga, el Nada Yoga, procura la transformación con el sonido externo e interno y su vibración (*nadas*).

En este café, vamos a debatir sobre el poder creativo del sonido, la manifestación material a partir de la vibración. Porque el universo es ¡vibración a diferentes frecuencias! Y si todo es vibración, a diferentes frecuencias, es acertado *afinar* la vibración con otra vibración. Cuando entiendes que todo son frecuencias, aprendes a modelar la materia a través de la energía (te lo expliqué en el *proceso chakra*).

Con esta idea en mente, valora la posibilidad de usar el sonido para crear nuevas realidades. Te daré un ejemplo, ves a Internet y busca videos de *cimática*. Comprobarás por ti mismo cómo lo invisible (pero audible) moldea lo visible. Y eso es lo que está ocurriendo a cada momento desde el principio de los tiempos.

El sonido es creativo. También es curativo. Incluso puede ser destructivo.

En 1800, el físico y músico alemán E. Chladni hizo un experimento: rasgó el arco de un violín en el canto de una plancha de metal con fina arena... esta se organizó de inmediato en preciosos patrones geométricos. El doctor Hans Jenny, médico e investigador suizo, estudió la relación entre la materia y las frecuencias de vibración sonoras. Nació entonces una nueva ciencia, la *cimática*. Su experimento era sencillo pero deslumbrante: colocó arena sobre una chapa de metal, que hizo vibrar con un generador de frecuencias y un altavoz. Lo que apreció es asombroso: el sonido crea patrones geométricos (el sonido se hace forma).

Frecuencia <=> Geometría

En otro capítulo te hablaré de los diseños de los círculos de las cosechas, porque estoy convencido de que se crean por patrones de sonidos-luz que no podemos ver ni oír.

La ciencia de la *cimática* estudia «la forma del sonido», sí, es la «observación del sonido». Qué interesante parece esto, se ocupa de descifrar el proceso por el que el sonido (vibración ligera) crea patrones de forma (vibración densa). Ahora entiendes mejor el sentido la frase bíblica: «Al principio era el verbo». Y el verbo engendró el mundo.

Si has interrumpido tu lectura para ver uno de esos videos, estarás sorprendido al ver cómo un simple golpe en una plancha hace que la arena se agrupe creando una forma geométrica concreta. Y cómo diferentes notas, crean diferentes patrones de forma. Si lo has visto, ya sabes cómo las ondas sonoras crean patrones geométricos, simétricos y bellos, para cada frecuencia de vibración (un nuevo secreto revelado). Los patrones de forma aparecen mientras el sonido pulsa y va cambiando ante tus ojos. Si cesa el sonido, el patrón de forma, la creación se mantiene como una realidad estable.

Vayamos al macrocosmos... ¿sabías que los científicos han detectado el sonido del universo? ¿Es el ruido de fondo lo que da forma al universo? Busca en Internet los audios de YouTube: *ruido universo*. Luego regresa a tu lectura. El universo es vibración.

Este no es un libro para personas con prejuicios, sino para mentes abiertas. La racionalidad está sobrevalorada y nos ha llevado a un callejón sin salida en la evolución. No saldremos adelante si no introducimos paradigmas espirituales. Sé que cuando aparece la palabra «energía» en un texto suele calificarse de esotérico, sino de *freaky*. Pero sin magia no tendremos nuevos secretos espirituales revelados.

Veamos qué dice Tesla al respecto, quién fue el mayor genio que ha pisado el planeta (y no, no fue Einstein y mucho menos Edison): «Si quieres encontrar los secretos del universo, piensa en términos de energía, frecuencia y vibración».

Tesla nos advirtió de que si queremos entender el mundo físico deberemos antes comprender el mundo no visible que cabalga sobre la vibración. No tengas duda al respecto, todo es vibración a diferentes frecuencias y longitudes de onda, creando efectos reales y muy visibles. La materia es vibración.

Por cierto, Edison se apoderó de las ideas de sus científicos empleados (Tesla incluido), fue un buen empresario y poco más. Einstein, por su parte, fue muy promedio en su madurez y plagió las ideas de muchos científicos contemporáneos (incluso de su ex esposa) que después le hicieron famoso. Nada comparado con el genial Tesla que fue innovador y original (además de ser copiado y robado por muchos, Marconi incluido).

Ahora, ¿cómo aplicar este principio creativo en tu vida? Puedes aplicarlo en muchos aspectos:

- Armonización de tu estado vibratorio.
- Sanación de desequilibrios en tu cuerpo.
- Limpieza de espacios físicos.

- Activación de facultades extrasensoriales.
- Comunicación vibracional.

En este momento, mientras escribo estas líneas, estoy escuchando a través de Internet, en estéreo, música binaural (*binaural beats*) para la concentración. Es algo que crea la atmósfera adecuada que me ayuda a trabajar *conectado* (no a Internet sino a mí). Un sonido en el oído izquierdo se escucha como un solo tono. Otro sonido diferente en el oído derecho se escucha como un solo tono. Pero cuando se solapan los dos tonos, la vibración conjunta se llama *latido binaural*. La idea es que cada actividad prefiere un estado mental y éstos estados mentales pueden inducirse con música binaural.

La música nos ayuda a alterar las ondas cerebrales con patrones de frecuencias de sonido de varias capas. Al escucharlo con auriculares y estéreo, el cerebro responde produciendo un tercer sonido (llamado latido biaural) que estimula las ondas cerebrales.

Si quieres ampliar el conocimiento de cómo la música binaural puede ayudarte en diferentes aspectos, revisa la web de Hemi-Sync®. Dado que hace años conocí a la representante en España, tuve la suerte de ser invitado a una sesión de audición en España. Los asistentes nos pasamos ¡un día entero! escuchando diferentes audios binaurales, dirigidos a la activación de diversas capacidades: aprendizaje, memoria, relajación, meditación, sueño, sistema inmune, concentración, creatividad, gestión estrés, bienestar, emociones, autoestima...

En YouTube encontrarás una gran cantidad de canales que te proporcionarán música para nutrir tu mente (como *Greenred Productions* y otras muchas).

Trabajar con instrumentos o cánticos es también poderoso, abre la mente a nuevas realidades. Cada tonalidad codifica una energía específica; y al experimentarlas, uno es capaz de elegir cuál le resuena más en cada momento. Entonar sonidos, cantar, tocar sencillos instrumentos... es liberador, desatasca la energía acumulada, eleva el ánimo, activa los chakras (ruedas de energía que actúan como portales). Te *afina* el alma.

Una «frecuencia coherente» es consistente, está en fase, es clara, es ordenada y opera a una misma amplitud de onda. Lo contrario sería una «frecuencia incoherente», desordenada, no clara, es inconsistente. Sin duda, el sonido *armónico* nos equilibra y el que es *no armónico* nos desequilibra. La prueba es que la humanidad ha creado música hermosa, coherente, desde el principio de los tiempos. El sonido nos *afina* el cuerpo y el alma.

Lector, ¿estás afinado? ¿Te has preguntado por qué la gente necesita cantar?, o ¿por qué escucha cantar a otros? Entonar te conecta con emociones y estados de conciencia. Tras entonar, las personas se sienten descargadas, aliviadas, ligeras y con más energía... Se equilibran. Es como llevar el automóvil al mecánico para que alinee la dirección de las cuatro ruedas, después circulas mejor.

Entonar activa la creatividad y la conexión interior. Incluye esta práctica, el baño de sonido, en tu día. Cantar en la ducha, es lo suyo, no molestas a nadie y empiezas bien el día. La práctica de la entonación vocal es efectiva: repara todo lo que está roto. Al canturrear sonidos, emites las vibraciones que necesitas recibir.

Lo bueno de entonar es que cantas pero sin imposiciones. Solo se precisa una letra, por ejemplo la letra «M» o la «O». Si entonas antes de una meditación, lo que siga será mucho más potente. ¿Por qué crees que los monjes budistas entonan mantras en sus rituales? Yo suelo usar un cuenco tibetano, un diapasón o mi tambor metálico de lengüetas. Y mi experiencia meditativa mejora mucho después de *afinarme* con notas armónicas.

El sonido armónico equilibra el cuerpo, los sonidos inarmónicos lo debilitan. Al margen de gustos, no produce en ti el mismo efecto una sonata de Mozart que un concierto de *heavy metal*. Tu cuerpo son patrones geométricos, y el sonido modifica por completo esa geometría.

Por cierto, Mozart fue una «semilla estelar», procedente de quién sabe donde en el universo, fue asesinado por los oscuros. Cuando escuchas su música, entiendes que estás en contacto con algo sublime más allá de lo conocido. Ningún otro músico ha mostrado semejante conexión divina. Siempre lo he sentido así y le escucho desde joven. Poseo su obra completa, un centenar largo de CD´s.

Mira un video de *cimática* y entenderás lo que ocurre dentro de ti cuando estás expuesto a ondas sonoras. O busca imágenes en Internet de los experimentos del investigador Masaru Emoto y entenderás. Sus libros ilustrados son una maravilla.

Mucha gente está «desafinada» por exponerse a frecuencias inarmónicas (pensamientos, emociones, ambientes, personas...). El sonido tiene un poder inmenso, suficiente como para crear salud (pero también enfermedad). Los sonidos armónicos sanan el cuerpo y el alma. El ruido y la desarmonía, en cambio, deterioran la salud y el ánimo.

Hace años, Masaru Emoto escribió varios libros sobre los efectos de la música y las palabras en las moléculas y los de la música inarmónica; y palabras negativas, en el desorden molecular. El doctor Masaru Emoto descubrió que las moléculas del agua se ven afectadas por nuestros pensamientos, palabras y emociones. Y le habló al agua...

Cuando el agua tratada se congela, los cristales de hielo resultantes revelan los pensamientos cristalizados en formas geométricas. Busca sus libros, él fotografió los efectos del sonido y de las palabras en la cristalización del agua. Masaru Emoto confirmó, con pruebas fotográficas indiscutibles, cómo la vibración de una palabra, y la de un tono musical, crean patrones geométricos ordenados o desordenados.

Tuve la suerte de conocerle personalmente cuando él y su esposa visitaron Barcelona hace muchos años. Me encargaron la presentación de su conferencia en un gran evento. Le recuerdo como una persona sencilla y modesta, sabia y sobre todo ¡muy japonesa de carácter!

Presentando al sabio Masaru Emoto

AFINA TU VIBRACIÓN

Lector, tu voz es el instrumento primordial que resuena en todo tu organismo. Es por eso que los místicos han canturreado mantras desde la antigüedad. Por ejemplo, el mantra «OM» se dice que reproduce la vibración de Dios, el sonido fundamental del universo, es la sílaba creativa primordial. Dice la tradición hindú que la palabra semilla «OM» es el sonido fundamental del universo. De ese sonido proviene todo lo que el universo contiene. Te pido respeto, no debería pronunciarse en vano sino reverencialmente, igual que el nombre de Dios.

En mi caso, cuánto más pronuncio la palabra semilla, más entro en un estado introspectivo. Cada mañana, sello mi campo áurico con tres poderosos mantras algo más elaborados. Además, te recomiendo usar los sencillos instrumentos de los que te hablaré. No para tocar música, sino para «afinarte». Tú también eres un instrumento, y como tal, deberías afinarte regularmente. ¿Cómo conseguirlo? Usando instrumentos afinados, por ejemplo un diapasón que es lo que usan para afinar instrumentos musicales. Elige el tuyo, el que sientas más adecuado, empieza y verás como el instrumento toca al músico y lo transforma, ¡y no al revés!

Mi cuenco tibetano es pequeño, de doce centímetros de diámetro, emite un sonido agudo, intenso y penetrante; y por tanto, estimula los *chakras* superiores (quinto, sexto y séptimo). Me va bien porque soy en exceso mental por mi trabajo. Un cuenco está hecho de una aleación de siete metales diferentes (oro, plata, estaño, cobre, plomo, hierro, mercurio) y se afina con el uso (el uso activa armónicos). Suelen llevar grabados mantras auspiciosos, los cuales impregnan de su vibración el éter, cuando hacemos sonar el cuenco. Esta es una idea muy tibetana, como la de agitar banderas de oraciones al viento, o hacer rodar los molinillos de oraciones.

Cuenco tibetano vibrando

Si haces fricción hacia la derecha (sentido del reloj), entras en expansión; si lo frotas hacia la izquierda (contrario al reloj) entras en contracción, según lo que necesites en cada momento: mirar hacia afuera o adentro.

La terapia de sonido busca devolver al cuerpo su vibración natural. La terapia de sonido, tanto con mantras como con cuencos, se ha usado en el Tíbet por siglos como terapia para cambiar la química y el tono eléctricos del cuerpo. Sus notas han afinado a sus usuarios, además de procurarles el equilibrio de cuerpo, mente y espíritu.

Los cuencos son el *timbre* de la puerta de cada *chakra*. Llaman a su apertura.

Como sabes, los *chakras* (ruedas energéticas) son vórtices de energía a diferentes frecuencias vibratorias que se asocian a ciertos puntos del cuerpo y proporcionan la energía vital para que los distintos cuerpos (físico, mental, emocional y espiritual) puedan funcionar. Son el puente o portal entre el ámbito invisible y el visible. Eres un espíritu y eres un cuerpo y los *chakras* son el nexo de unión.

No te hablo de aprender a dominar un instrumento musical ni que estudies música. A mí todo eso se me da muy mal, pero uso un tambor de lengüetas metálicas (también un cuenco tibetano y un set de diapasones) para crear vibraciones armoniosas que resuenan con mi cuerpo y con mi espíritu. Unas cuantas notas armónicas, bellas, son suficiente para crear un ajuste vibracional en mi cuerpo energético.

Dicen que los instrumentos de percusión se ajustan más a tratar desarreglos físicos y los diapasones los desequilibrios del campo emocional. Yo amo los diapasones por su efecto de rayo láser en los *chakras*.

Basta con dejarse llevar por la intuición porque el cuerpo sabe y absorberá como agua bendita la vibración que más necesita en cada momento en cada órgano. Y rechazará la vibración que reciba en exceso. El cuerpo siempre sabe que es lo que más necesita. Y la vibración siempre encuentra el camino adecuado a la zona del cuerpo físico y del energético que lo necesita.

Si tienes la oportunidad de trabajar con diapasones de diferentes frecuencias (más adelante tienes una lista) podrás sentir cómo su vibración penetra a través de los diferentes *chakras* (cada uno tiene su frecuencia preferida) y la absorben.

Yo lo llamo *cosquillas vibracionales*. Y les añado siempre una intención que acompañe a la vibración. No uso nada más el sonido, sino que le adhiero una intención, un significado, que se acopla a las ondas.

Entonar sonidos, o tocar instrumentos, libera energía atascada en diferentes partes del cuerpo. Te ajusta y te equilibra los cuerpos energéticos. A mí me encanta empezar una meditación con mi tambor metálico de lengüetas. O meditar después de ajustar mis *chakras* con un diapasón relajante de baja vibración como el de 64 Hz contrapesado (64 oscilaciones por segundo). Crea una sensación de orden o equilibrio en mi cuerpo físico y etérico.

Imagino que es lo mismo que «siente» un piano cuando acaban de afinarlo.

Afínate.

Tambor metálico de lengüetas

La humanidad, en sus tradiciones de sabiduría y civilizaciones, ha usado instrumentos musicales como herramientas de transformación y conexión. Es ampliamente sabido que el sonido reorganiza la estructura corporal y emocional.

A mí me interesan especialmente:

- Los tambores metálicos de lengüetas.
- Los cuencos tibetanos.
- Los diapasones.

Pero cualquier instrumento que cree sonidos armónicos te servirá, como los tambores de chamán y también los cuencos de cuarzo, por mencionar algunos. Más que escuchar su sonido con el oído, trata de sentirlo con tu cuerpo. Nota como resuena tu cuerpo debido a su vibración. Tu craneo y tu tórax se convierten en cajas de resonancia que vibran al compás del instrumento.

Mis favoritos son los diapasones que son usados para afinar pianos. Yo los uso para afinarme a mí. Cuando estás desafinado tus vórtices energéticos están por debajo o por encima de su frecuencia equilibrada (tan negativo es que esté hiperactivo o hipoactivo). Nuestro ser, además de su esencia espiritual, tiene otros componentes: químico (cuerpo), eléctrico (mente) y magnético (emociones).

Un diapasón produce una frecuencia coherente y cuando lo activas (con un golpe) extiende esa frecuencia a todo lo que entra en resonancia con él. De ahí su capacidad de reequilibrar. La versatilidad de los diapasones, y sus múltiples frecuencias, te permiten experimentar sin fin.

Tu aura, o cuerpo energético, almacena recuerdos (sí, exacto, ¡fuera de tu cuerpo!) y esa memorias pueden metabolizarse (resolverse si supusieron un trauma) con las vibraciones del sonido. Cada experiencia tiene una frecuencia vibratoria que se almacena en nuestro campo físico y energético.

El sonido no es intrusivo, no borra nada, armoniza el «ruido», lleva la incoherencia a la coherencia. ¿Intuyes el poder sanador del sonido? Especialmente con asuntos emocionales no resueltos que te dejaron una «mala vibra» y que se pueden afinar. Por ejemplo, el estrés desarmoniza la frecuencia vibratoria y el sonido coherente, por resonancia, lo corrige.

Respecto a los diapasones, hay muchas calidades y frecuencias en el mercado. Puedes trabajar con apenas tres o cuatro diapasones si es que vas a experimentar por tu cuenta y sin invertir mucho dinero (hay terapeutas de sonido, busca uno en la zona donde vives).

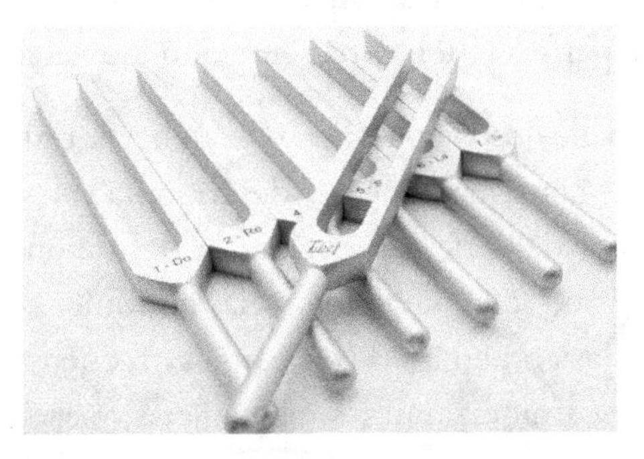

Set de diapasones con diferentes frecuencias en Hz

Ya sea que dispones de un diapasón, o de un set, entonces puedes aplicar cada diapasón a su *chakra* de correspondencia. Para que entiendas, 256 Hz significa que oscila 256 veces por segundo. Un ejemplo de un set muy completo puede ser el *Espectro Solar Armónico:*

1. Raíz: C 256Hz (o menos)
2. Sacro: D 288Hz
3. Plexo solar: E 320Hz
4. Corazón: F 341.3Hz
5. Garganta: G 384Hz
6. Tercer ojo: A 426.6Hz
7. Corona: B 480Hz (o más)

Pues bien, cuando un chakra no vibra a su frecuencia óptima, la terapia de sonido con diapasones le hará recordar su frecuencia natural. El diapasón, a través de la *resonancia forzada*, se sincronizará y le imprimirá a cada chakra su tono natural de equilibrio.

Si alguna vez trabajas con el sonido sobre tu campo energético, con la práctica apreciarás muchas sutilezas como: bloqueos en ciertas partes del *biocampo* que se resuelven con frecuencias armónicas. Y percibirás que el cuerpo sutil más cercano a ti es tu frecuencia actual; y el más alejado de ti, las frecuencias de tus primeros años de vida (recuerda los anillos concéntricos de una sección de árbol cortado). Al principio buscas una sensación física en tu cuerpo pero después entiendes que lo que resuena es tu cuerpo sutil y lo notas a la perfección. Es una sensación muy agradable y relajante.

Bajo la resonancia de los diapasones (frecuencias ordenadas), el cuerpo energético se hace consciente de su desarmonía, el «ruido» que le era normal antes, dejará de serlo, se revelará la desarmonía y entonces va a equilibrarse él mismo con la resonancia armónica del diapasón. Las frecuencias más bajas en hercios (Hz o hercios, frecuencia de ciclos o vibraciones por segundo) armonizarán las disonancias más densas. Y los instrumentos con altas frecuencias en hercios serán adecuados para los desajustes más sutiles. Afinarse con sonidos un par de veces al día es ideal. Y aplicarse hasta diez veces el mismo tono de un diapasón por sesión, es correcto. Más no es necesariamente mejor.

Me interesé por el tema de los diapasones tras saber del Dr. John Beaulieu quién investigó sobre los efectos de la vibración sónica en el campo energético humano. Este hombre pasó cientos de horas encerrado en una «camara de silencio», donde cada día dedicaba unas doce horas a meditar y hacer asanas de yoga, en el silencio absoluto. Afirma que fue capaz de escuchar «el sonido de su sistema nervioso» (con sus mismas palabras). Un día incluyó un par de diapasones en sus prácticas y se dio cuenta como el sonido de su sistema nervioso se acoplaba al sonido armónico de los instrumentos. Podía «oír» cómo se ajustaba. Sus descubrimientos resultan muy interesantes. Por si alguien desea profundizar incluyo su libro a la bibliografía.

Pasando a otro tema, uno de los usos que hago del sonido es *limpiar espacios* de vibraciones negativas. Es muy necesario si vas a usar una propiedad, nunca sabes quién entró en un espacio ni quién vivió o trabajó allí. Con el tiempo, los patrones de energía atascada alteran el aura de los nuevos inquilinos. Ten muy presente que los espacios influyen en las personas que los ocupan y viceversa.

Siempre que accedo a una propiedad (sea de alquiler o de compra), el primer día que dispongo de las llaves hago una *limpia de sonido* con mi cuenco tibetano o con una pequeña campana muy estridente. Repaso cada habitación, una por una, poniendo especial atención a las esquinas donde se bloquean las vibraciones más antiguas. También lo podría hacer con petardos (como una traca), pero si no es muy necesario no hace falta ¡alarmar a los vecinos!

No exagero, piensa en la razón por qué cada solsticio de verano se tiran petardos y encienden fuegos... ¡para hacer una limpia de lo viejo y dar paso a la nuevo! Y lo hacen usando ruido estridente, luz y calor, además de música... que desintegran las vibraciones caducas.

Siguiendo con la *limpia de espacio*, si además añades unas barras de incienso cargadas con una intención benefactora, pronuncias unos mantras auspiciosos y pones música de cantos gregorianos, no has de tener ningún problema de «mala suerte» en ese espacio. Adicionalmente pintarlo por completo ayuda a concluir la limpieza energética.

En mi opinión, la 3D en la que habitamos es la plasmación de frecuencias de sonido y de patrones geométricos, de densidades superiores. Sin olvidar otros pulsos como: el magnetismo, la electricidad, la luz, el color, el calor, además del sonido.

Somos una cuerda que vibra con una nota al son de pulsos sutiles.

Me encanta la metáfora de un *niño dios*, en otra dimensión, que por hacer algo antes de acostarse, canta y crea un universo completo usando frecuencias de sonido, fotones de luz, geometría sagrada y matemáticas. Luego su madre le llama, el niño dios lo deja donde estaba, se va a cenar, y en ese mismo momento un nuevo universo se despliega.

VIBRANDO ALTO

La *ley de la vibración*, tal como la aprendí, establece que *todo en el universo vibra a diferentes frecuencias*; las más elevadas son más auspiciosas que las de menor vibración. La vibración elevada se corresponde con emociones elevadas, pensamientos elevados y capacidades sensoriales, además de la activación de hebras del ADN. Los chakras entonces aumentan su velocidad de giro. Interactuamos en todo momento con el todo y el mundo interactúa con nosotros en respuesta a nuestra emisión. En ese contexto vibratorio, todo afecta al resto por resonancia, como hacen los diapasones activándose entre sí al acercarlos.

Los humanos emitimos frecuencias todo el tiempo. Y tenemos la opción de elegir y modificar la frecuencia que emitimos a cada momento para transformar las experiencias que creamos. En eso consiste el don de la consciencia y el ejercicio del libre albedrío. Nuestra mayor responsabilidad ahora mismo es elevar nuestra frecuencia vibratoria. Si te preguntas qué puedes hacer por el mundo y por ti: vibrar alto. Un nivel de conciencia elevado es subproducto de una frecuencia elevada. Cuanta más alta es tu frecuencia vibratoria, más conectado estás con tu Yo superior (y viceversa). Y el modo de elevarla es dedicar tiempo a preguntar, a pedir, o compartir tiempo y silencio con tu divinidad interior. ¿Cómo conseguir esa elevación de frecuencia? En dos palabras, con intención y enfoque. Si no conoces tu naturaleza energética entonces ni siquiera tratarás de gestionarla.

Cambia las palabras que utilizas, elige un vocabulario elevado y así elevarás tu vibración. Una palabra es un mantra que lleva adherida la energía de infinidad de personas durante cientos o miles de años. Palabras felices, efectos felices. Palabras tristes, efectos tristes.

Nútrete con alimentos llenos de energía vital. Hay alimentos con alto y bajo nivel energético. Tu cuerpo es lo que comes y cuando lo haces absorbes energías de las que no eres consciente. Es lo primero que deberás corregir porque conseguirás resultados inmediatos. Experimenta con diferentes grupos de alimentos.

Observa tus pensamientos y emociones, descarta lo que te limita y enfócate en lo que te expande. No puedes ver la luz que emites, pero sí puedes saber qué piensas y cómo te hace sentir lo que piensas. Tus experiencias son la representación mundana de tus frecuencias vibratorias.

Medita a diario porque es el modo de ponerte en contacto con tu campo de energía sutil. No creo que necesite insistir en algo que ya se ha dicho por tantos antes de mí. Un par de veces al día (doce minutos + doce minutos) es suficiente, no soy fan de las largas sentadas. A fin de cuentas, abstraerse del mundo es resistirse a la función para la cual encarnamos: experimentar la vida.

Agradece cualquier cosa en tu vida, lo más insignificante sirve, incluso los problemas que aún no sabes cómo resolver porque son portales dimensionales para acceder a niveles de conciencia superiores. Sonríe y ríe desde el inicio del día y verás cómo tus asuntos mejoran. La gratitud atrae más de lo que agradeces y aleja lo que no agradeces.

Pasa más tiempo en la naturaleza. Pisa la tierra sin zapatos, lo que se llama «hacer tierra», abraza a un árbol y descarga tu negatividad, respira profundamente su *Chi*, háblale en silencio al bosque. Huele y escucha. El *Chi* o energía sutil que recibirás allí activará tu cuerpo energético.

Bebe agua pura (ósmosis inversa). El agua limpia tu aura de energía desechable. Cada vez que lavas tus manos, sientes una sensación de renovación, igual con tu rostro. Y eso mismo es lo que ocurre en tu campo aúrico. Dúchate a diario, lava tus manos con agua varias veces y refresca tu cara de vez en cuando. Bebe un litro o dos al día y deja que te limpie a nivel energético. El agua aumenta tu conductividad y eso reforzará tu campo eléctrico. Es es como convertir una carretera en una autopista de alta velocidad.

Ordena tu espacio en casa. Como está tu entorno estás tú. Y como estás tú, está tu entorno. Pon orden, haz limpieza, deshazte de los objetos cuya energía no te alegra. Deshazte de los recuerdos tristes. Menos cosas es más energía disponible para ti. Vacía armarios y cajones, crea espacio libre para que circule la energía nueva y fresca. Aplica las normas básicas del *Feng Shui* y verás un gran cambio.

Mueve tu cuerpo, haz ejercicio a diario aunque solo sea andar. Pídete al menos diez mil pasos diarios, monitorízalo con un medidor o podómetro. El ánimo y el metabolismo se elevarán y eso influirá en tu nivel de energía y salud. Basta una par de sesiones al día de media hora cada una. Cuanto más te mueves, más alta es tu vibración.

Limpia tu campo energético o aura a diario al igual que cepillas tu dientes o tu lavas tu cabello. Sin que puedas evitarlo, acabas teniendo pensamientos y emociones de otras personas que se enredan en tu campo aúrico. Es una prioridad mantener limpio tu escudo de luz mediante la visualización y el decreto. La terapia de sonido que te he enseñado también te ayudará a afinarte como un instrumento y la meditación va a conectarte con la divinidad.

Enfrenta tus problemas que no son más que bajas frecuencias atascadas en tu memoria celular. Pueden provenir de un antiguo trauma o ser una herencia de tu linaje, en ambos casos son patrones repetitivos que retienen tu elevación vibracional. Pide ayuda y consejo al Yo superior para trascenderlo. Resuelve tus cuentas pendientes y cambiarás tu vida e influirás de modo positivo a todo aquel que entre en contacto contigo.

No tiene importancia por dónde empieces; déjate llevar, una cosa te llevará a otra. Y si estás listo, podemos pedir otro café y pasar a otro tema de conversación...

5

PROTECCIÓN ENERGÉTICA

SHUNGITA, PIEDRA INTELIGENTE

En este café, te comparto algunos de mis secretos para la *higiene energética.*

La fascinación humana por los minerales es legendaria. Sin embargo, supe de un mineral, muy poco conocido, que me parece de lo más interesante en relación a este tema: la shungita (shungit o shungite), la piedra inteligente. Un mineral que puede ser emisor o receptor, según necesidad, y que anula los efectos negativos de los campos de ondas electromagnéticas (CEM), de modo que equilibra el campo energético personal.

Su conocimiento es relativamente moderno. El zar Pedro I *el Grande* instó a sus tropas a poner un trozo de esta piedra en el fondo de las tinajas del agua para beber. Además ordenó construir un balneario dedicado a aguas tratadas con este mineral. De ahí en adelante, se le prestó atención creciente en todo el mundo. En la actualidad, en Rusia y en Francia, se han construido salas de shungita con fines terapéuticos. En su recomendación, tres premios Nobel aplauden sus propiedades excepcionales.

Su origen no está claro, hay varias teorías. Una sería que llegó al planeta con un meteorito. La otra teoría vigente sobre su procedencia sería por sedimentación y amalgama de microorganismos fosilizados. Dado que solo se ha encontrado en una zona muy concreta del planeta, oeste de Rusia, la primera hipótesis me parece más factible.

Es originaria de la región de Karelia, Rusia, en concreto el pueblo de Shun ´ga, cerca de St. Petersburgo, y de esa localidad proviene su nombre: shungita. Su aspecto se parece al carbón. Se compone de carbono orgánico en más del 98%, es fácil de cortar y pulir, con un característico color negro contrasta con las venas blancas de Steatita. Pero su punto diferencial más característico son los fullerenos. Energéticemente este mineral se carga y limpia por la acción del fullereno C60 (descubrimiento que mereció un premio Nobel de química).

Luego veremos su enorme interés y aplicación como protector en un mundo contaminado por radiaciones electromagnéticas (wifi, 5G, microondas, ordenadores, celulares, electrodomésticos, radiofrecuencias, contaminación electromagnética diversa...).

Diferentes acabados y usos de la shunguita

El set de la imagen es solo una parte de mi equipo de protección de los campos electromagnéticos (C.E.M.). Los diferentes formatos se adaptan a diferentes usos y aplicaciones, te cuento...

Las esferas son ideales para los dormitorios y protegerte de la radiación mientras duermes, tienen un alcance de dos o tres metros de radio. Una para cada habitación.

La pirámides y los cubos resultan perfectas para tu lugar de trabajo (donde con probabilidad te afectará tu móvil, tu ordenador y la estación de Wifi).

Los colgantes, para llevar sobre el chakra corazón, te protegen vayas a donde vayas (incluido el interior de tu automóvil (que actúa como una caja de resonancia o Faraday, aumentando cuatro veces la radiación de una llamada). Ahora imagina un automóvil con cuatro personas y sus respectivos móviles buscando cobertura. OMG.

Las pulseras indicadas si tus manos suelen deslizarse por el teclado del PC o sostener el móvil. Obvio.

Los cilindros son los *armonizadores* para usar mientras meditas y equilibras tu campo energético (un cilindro es de shungita y el otro de esteatita). Se sostiene un cilindro en cada mano.

La alta frecuencia de la shungita proviene de su estructura molecular (una molécula perfecta, los fulleneros). El fullenero C60 es una molécula cuya forma se asemeja a una esfera geodésica formada por doce pentágonos y veinte hexágonos. Imagina un balón de fútbol de reglamento y te harás a la idea. Y ahí empieza la magia de los fulleneros naturales:

- Aumenta en el 100% el campo vital.
- Normaliza el metabolismo celular.
- Aumenta actividad enzimática.
- Inmune estimulante, antiinflamatorio, anti oxidante.
- Reacciona con inteligencia al entorno.
- Interactúa con los seres vivos.
- Reactiva la inteligencia celular.
- Abre los chakras.
- No precisa ninguna limpieza energética.
- Elimina las perturbaciones de pensamientos parasitarios.

- Bajo petición, es emisor o receptor de energía.
- Limpia el aura.
- No se carga de malas energías, por sus propiedades de agujero negro.
- Disminuye los dolores corporales.
- Elimina las geopatías de casas, negocios, etc.
- Reduce ansiedad, estrés, dolores cabeza, etc.

La shungita absorbe los elementos nocivos para la vida, sean químicos o electromagnéticos. Es como un «agujero negro» que absorbe, cataliza, filtra... Actúa sobre lo que no funciona bien y activa la inteligencia celular, pues somos nosotros los que nos sanamos (no el mineral que solo reprograma celularmente).

En mi caso, cuando siento una leve jaqueca (de las migrañas ya me libré con el cambio de dieta) me aplico un disco de shungita sobre mi frente y lo disuelve. No sé cómo ni por qué, pero me funciona, al menos como calmante.

Se utiliza también para sanear agua y suprimir el sabor de cloro, eliminar los metales pesados y pesticidas pues es bactericida. Tiene la capacidad de elevar la vibración del agua hasta purificarla. Bastan cien gramos de piedras shungita para un litro de agua, dejadas por tres días en inmersión. En mi caso me tomo un litro muy de vez en cuando, pero lo que nunca dejo de hacer es llevar siempre una piedra shungita como colgante o en el bolsillo del pantalón y en mi automóvil. Aunque nada mejor que llevarla sobre el chakra corazón.

Entre las cualidades de la shungita está el ayudar al cuerpo energético a corregir la influencia de los campos de radiación electromagnética. La shungita en contacto con el cuerpo —o cuando está cerca y en un espacio menor a dos o tres metros—, corrige las interferencias de los campos electro magnéticos radiantes (C.E.M.) cercanos.

Las investigaciones sobre la piedra shungita han demostrado que neutraliza los efectos perniciosos de los campos eléctricos, campos electromagnéticos y campos electromagnéticos pulsados. Para que me entiendas, todas las frecuencias emitidas por: electrodomésticos (incluida la TV y el ordenador), los muy perniciosos teléfonos inalámbricos (DECT) tan desaconsejados, y por supuesto los teléfonos móviles, además de la estación de wifi (la tuya y la de tus vecinos). Es decir, todas (y son muchas) las emisiones electromagnéticas a las que te ves expuesto en casa y fuera de ella. (No menciono el horno microondas porque imagino que ya te deshiciste de esa aberración tecnológica).

La shungita desactiva el electromagnetismo que perturba nuestro ambiente, por lo que aconsejo contar con una pieza de Shungita en casa y el lugar de trabajo, sobre todo al lado del ordenador, wifi, televisión, teléfonos...

La piedra se activa cuando es necesario. No *absorbe* la radiación, sino que la *adsorbe*, es decir se deshace de ella. De ahí que se la considere «piedra inteligente». También evita de pérdida de energía en el trato con otras personas. Y es disuasoria de energías del bajo astral. Limpieza tecnológica y astral, todo en uno.

Otro uso es el de equilibrar espacios y liberarlos de la radiación ionizante. Para ello se usa el mineral tallado en forma de pirámide, de cubo o de esfera. Por ejemplo, en todos los dormitorios coloco una pequeña esfera, y en las zonas de ocio y trabajo, una pirámide o un cubo. Descontamina la polución electromagnética de tu espacio de los muchos wifi de tu vecindad y también de las geopatologías como nodos Hartmann y energías telúricas de la zona.

La última amenaza C.E.M. es el 5G.

La campaña de propaganda del 5G (transmisión de un *gigabyte* por segundo) ya ha empezado para venderte lo que no necesitas. No es para tu bien sino una estrategia para controlarte mejor. No te recomiendo comprarte un terminal de 5G porque no vas a notar una gran mejora en la descarga de datos, pero lo que es seguro es que te convertirás en una persona más controlada, localizable y esclavizada a través de un aparato que llevas siempre encima. ¡Y más irradiada!

El 5G no juega a tu favor sino en tu contra. No lo necesitas, son ellos, los gobiernos controladores, quienes lo necesitan para vigilarte. Esa tecnología es una herramienta más de sometimiento (control y vigilancia). Para vigilarte precisan anchos de banda mayores para poder canalizar más datos de más personas, y así saber no solo dónde estás, sino qué haces, con quién te escribes, qué os decís y enviáis, y tener todos tus históricos de descargas, incluso a qué velocidad circulas en tu automóvil... vamos un sistema de vigilancia al estilo de la dictadura comunista totalitaria que se pretende implantar en todo el mundo (N.O.M.).

Un «gran hermano» en tu bolsillo que pagarás a precio de oro y también con tu salud.

¿Por qué no notarás un beneficio en la descarga? El timo consiste en que para aprovechar el ancho de banda 5G tienes que estar cerca de una antena de esa frecuencia y, además, sortear cualquier obstáculo que interfiera (paredes, ventanas, automóviles... hasta un árbol), de otro modo la velocidad de descarga se reduce en mucho. No vale la pena. Si además te mueves, entras y sales de cobertura 5G, con lo que tu velocidad de descarga se ve muy reducida. No te servirá de mucho. Además ¿para qué quieres tanto caudal de datos? Si para mandar una foto, ver un video o escuchar una canción tienes de sobra con el actual 4G.

Y no hablemos del efecto sobre la salud que todavía no está estudiado. Hay países que se han negado a implantar este sistema hasta que no se investiguen de forma seria los efectos en la salud humana. Y hacen bien. Se sospecha que sus efectos son muy graves para la salud.

Me temo que en tiempos del 5G la shungita se hará más necesaria que nunca.

Por cierto, ya te hablaré de los *crop circles* más adelante, basta saber ahora que el 10 agosto del 2003 apareció en Wiltshire el *crop circle, la molécula* que representa la formación atómica del fullereno C60. Tal vez el círculo en la cosecha fue un reconocimiento estelar para felicitarnos por haber dado con esa molécula.

AUTOPROTECCIÓN ESPIRITUAL

Como seres multidimensionales, poseemos diferentes cuerpos sutiles que se superponen en el campo de energía que nos envuelve. El aura es prana o energía vital (también *chi, qi, ki*...). Al reforzar el aura, la energía personal aumenta (salud, carisma, influencia...). ¿Cuántos cuerpos sutiles o dimensiones? La tradición india habla de siete que se corresponden con los siete chakras principales.

La *multidimensionalidad* significa diferentes *identidades* en cada unos de los niveles (campos vibracionales). Por eso es engañoso identificarse con un cuerpo y una mente, ya que son solo dos identidades, en dos dimensiones, y no son ni las únicas ni las más importantes.

Aunque somos conscientes de la 3D, el mundo que nos rodea, nos conviene expandir la percepción a 9D a eso me refiero cuando digo que somos multidimensionales. La 9D es el ámbito de la conciencia pura. La evolución y la ascensión empiezan cuando somos conscientes de esta multidimensionalidad.

Los chakras extracorpóreos (del ocho al doce) son la puerta a la conexión espiritual, las facultades extrasensoriales y los dones de los budas o iluminados. Despertar a la 5D nos permite acelerar los cinco chakras superiores, de ahí su importancia.

Algunas personas más sensitivas pueden ver las auras, el cuerpo energético, en forma de halo de luz o destellos de colores. Y casi todos podemos sentir la sensación de esa información vibracional. Te diré que es sencillo ver la luz que desprende una persona: basta con tomar algo de distancia y desenfocar tu mirada, enseguida verás un cuerpo de luz, más o menos claro y amplio, que rodea su cuerpo. Para que su aura tome contraste, es mejor que el fondo no emita luz y sea liso y claro.

Es hora de comprender que somos un cuerpo físico arropado por un cuerpo sutil. Ese cuerpo sutil que nos rodea, el aura, alcanza varios metros al alrededor e influye a todo aquel que entra en su ámbito. Cuando entras en contacto con el campo energético de un lugar, ambiente o persona, recibes la impronta de su campo y percibes su naturaleza, ya sea de «buen o mal rollo». Es hora de cuidar del aura (tu cuerpo energético) fortaleciéndola, y sellarla para conseguir una protección que rechace las energías no deseadas puedan afectarte.

Si alguna vez has notado que un lugar, un colectivo o una persona drenaban tu energía y te dejaban agotado, debes entender que somos pulsos de energía interactuado y que vale la pena poner atención en qué te da y qué te quita energía. Sé exigente en esto.

Es cierto que hay *vampiros energéticos* (la mayoría involuntariamente), pero también es cierto que actuamos como diapasones (atraemos aquello con lo que resonamos). Los *vampiros energéticos* absorben el prana ajeno invadiendo el campo aúrico de los demás. Se enganchan y se pasan el tiempo contando sus problemas para bajar la frecuencia de quien escucha. Las personas desempoderadas suelen mendigar energía y la toman de otros, por pura supervivencia, que vibran al mismo nivel; son náufragos agarrándose a cualquiera. La mejor protección energética es vibrar alto para ser inmune a la energía baja y pesada.

Los *vampiros psíquicos* no siempre son conscientes de su carencia y necesidad. Si sospechas del efecto negativo de una persona en concreto, evita verla al menos hasta que aprendas a protegerte y sellar tu aura. Si tenéis que hablar, visualiza antes tu aura brillante e impenetrable. No guardes ningún objeto de esa persona en tu casa, ni le entregues ninguno tuyo, no le reveles información personal sobre ti y no le permitas entrar en tu casa.

Para complicarlo, las entidades del bajo astral (son muy reales) buscan personas con baja frecuencia de vibración para «engancharse» a su campo energético o aura y absorber el néctar negativo que tanto les gusta (miedo, desesperación, tristeza, depresión). No me es agradable hablar de ello pero basta saber que hay entidades oscuras del bajo astral 4D que parasitan energía. Debemos aprender a protegernos de ellas.

La parasitación astral es muy real

«¿Y por qué la *parasitación energética*?», te preguntarás. Porque la basura emocional es el alimento de la oscuridad. El caos mundial, el sufrimiento físico o mental y la degradación humana es su festín. Influyen a los poderosos, eligen a candidatos débiles e influenciables, para que inicien guerras, crisis y revueltas y así crear el caos que les alimenta.

Para complicarlo, estamos expuestos a los pensamientos, emociones y estados mentales de otras personas (¡por si lo propio fuera poco!). No te engañes, necesitamos deshacernos de ese inmenso pegote energético y aprender a elevar nuestra vibración además de conectar con nuestro Yo más elevado, la divinidad.

Cuando una persona tienen pensamientos o habla en tono negativo de ti, te está enviando energía negativa sin ser consciente, si no activas tu protección, recibes tu aura se debilita.

A veces, el problema está en casa: una pareja abusiva, un familiar dominante, un hijo rebelde... pueden influir negativamente a sus parientes. A veces, el problema viene del pasado: por ejemplo, una antigua pareja posesiva y rencorosa. Su enganche psíquico al aura de su amante sigue activo. Lo mejor en estos casos, es visualizar esas «cuerdas o cadenas» energéticas que atan a las personas y cortarlas una por una en la imaginación.

Conviene cortar todo vínculo de apego, bendecir, perdonar y despedirse de esa persona, dándole las gracias por lo pasado.

Me resulta increíble que no se enseñe a los niños a gestionar su aura energética y a protegerse de ataques y parasitaciones energéticas. Emociones tan habituales como: la envidia, la negatividad, la dependencia y otras proyecciones mentales... son una amenaza a su integridad. Deberíamos enseñarles bien pronto a gestionarlo para evitar males de mayores. Si esta generación entiende el *bluetooth* y el wifi, deberá entender también la *parasitación astral*. Nada de esto es visible pero es muy real.

Hay personas que por su trabajo, en contacto con toda clase de público, precisan enfocarse en la *higiene energética* de su espacio de trabajo y harán bien en aplicarse esta higiene a sí mismas para no resonar con el efecto diapasón de emisiones pesadas. He trabajado en consulta privada, también en escenarios públicos, y sé muy bien que la protección energética es muy necesaria antes y después de la intervención pública.

He conocido a terapeutas que por su exposición pública han terminado quemados o enfermos después de años de trabajo sin cuidar de sí mismos. Y si bien es cierto que la mejor protección es la emisión de una alta vibración, es verdad que si bajas la guardia, acabas parasitado energéticamente.

También hay lugares (hospitales, cementerios, juzgados, oficinas de desempleo, grandes ciudades, etc.) donde el estrés, las preocupaciones y la mala vibra acumuladas crean una atmósfera patógena muy real. Muchas veces basta con entrar en el metro, autobús, centro comercial, tienda o cualquier espacio para contagiarse de su baja energía. No digo que debamos obsesionarnos, sino que debemos protegernos antes de entrar en burbujas de baja vibración energética.

Una ciudad es una comunidad tiene su *personalidad energética*, una vibración que te gusta más o menos. No vivas en ciudades o comunidades donde no te sientes a gusto, ni te obligues a realizar trabajos que no amas con gente que no respetas. Eso es jugar en contra de uno mismo.

Las ciudades generan una gran contaminación psíquica y energética. Ten en cuenta que un 90% de la población mundial está dormido, en modo supervivencia, con un bajo nivel de conciencia y se guían por instintos muy básicos (sufren). Todo ese «pegote emocional» tiene una vibración que afecta al resto, pues todos estamos conectados al campo unificado.

No solo no creo que existan las emociones privadas sino que tampoco creo en los pensamientos privados. A nivel energético, todo es público y se comparte. Podemos sentir lo que otros sienten. «¿De quién es esta emoción que siento?», te habrás preguntado alguna vez. Podemos pensar lo que otros piensan. «¿De quién es este pensamiento que pienso?», te habrás preguntado alguna vez. ¿Entiendes ahora?

Hay dos clases de telepatía: la emocional y la mental. La primera es más frecuente: las emociones son más densas vibracionalmente y fáciles de comunicar por el éter. Por alguna razón, estamos conectados telepáticamente con personas que conocemos, hemos conocido e incluso que conoceremos en el futuro. Cuando piensas en ellas, envías un mensaje energético que captarán. Cuando sueñas con un conocido, no lo dudes, hay intercambio de energías.

Los medios de desinformación (TV, radio, prensa) son otra vía de drenado de energía. En su estrategia, muy bien diseñada por cierto, está el sembrado diario de miedo indiscriminado, cuando no de puro terror. Son auténticos agujeros negros por los que se cuela cualquier vestigio de luz. Los controladores oscuros lo saben muy bien y por ello han comprado todas las grandes cadenas, además de plataformas de redes sociales, por no hablar de la fábrica de control mental llamada Hollywood. Están trabajando para que desconectes de tu poder, de tu conexión divina, y seas más sumiso a sus agendas.

El *establishment* utiliza los implantes mentales negativos (*garrapatas etéricas*) para manipular la mentalidad de las masas. Estos implantes se inoculan en el subconsciente, de modo subliminal para que no sean advertidos, pero puedes apostar que su efecto castrante está muy activo. La educación, la TV, el circo político, entidades extraterrenas regresivas en este plano o en otro... van haciendo mella en la mente para convertirla con los años en una mente domesticada y alienada. No trates de identificar esos implantes, borrarlos o compensarlos con implantes positivos, mejor eleva tu vibración y tu propia luz los abrasará. Para ascender a la 5D es preceptivo librarse de anclas mentales que nos retienen en la 3D.

Por suerte, todo tiene arreglo con una buena gestión de protección energética y autodefensa espiritual. La mejor defensa es mantener un cuerpo áurico limpio, elevado, vibrando en la frecuencia del Amor que es precisamente la energía que no les gusta. Aplícate la higiene diaria del aura. Aplícatela en tu meditación. Del mismo modo que lavas tu ropa, deberías protegerte de todo lo revelado aquí. No seas una esponja psíquica, de otro modo tu vida puede verse perjudicada en diversos aspectos. Me escriben personas para contarme que todo les va mal... imagino que están siendo parasitadas por el bajo astral e ignoran el origen de sus males. Una limpieza y protección bastaría. La ecología emocional es tan determinante como la biológica para la supervivencia de la especie. Y nadie habla de eso.

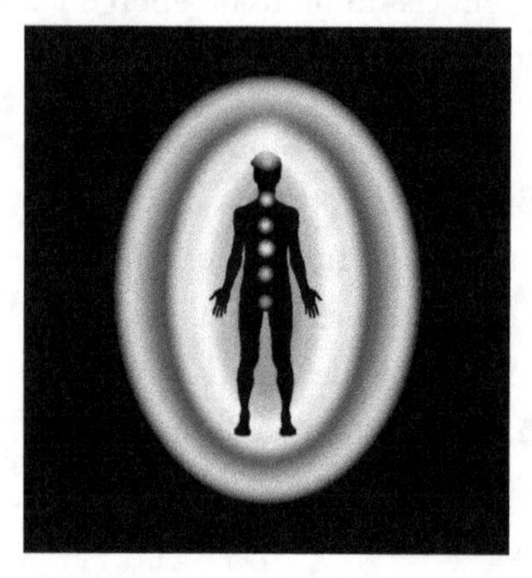

El campo energético

La autora Susan Chumsky en su libro *The power of auras* nos proporciona una oración que por su valor reproduzco aquí:

«Todas y cada una de las entidades astrales, formas de pensamiento, implantes y energías negativas que hayan sido depositadas en mi campo de energía se disuelven ahora. No importan si llegaron a través de talismanes, minerales, gemas, palabras, pensamientos, intenciones, vampirismo psíquico, círculos, hechizos, encantamientos, maldiciones, magia negra, y todos los demás métodos manipuladores de coerción psíquica, ya sean conocidos o desconocidos, conscientes o subconscientes. Todas estas energías negativas ahora están amorosamente curadas y disueltas. Han sido amorosamente elevadas en amor. Estoy al control, estoy unificado con la

verdad de la luz. Estoy unido al amor divino, la luz divina y la verdad divina. Cualquier influencia negativa se va ahora, perdonada y liberada en el amor, la luz y la plenitud de la Conciencia divina».

Protégete espiritualmente antes de entrar en un ambiente denso. Y si la sensación es muy fuerte, evita entrar. Recuerda que tú eres quien discrimina la emisora con la que deseas sintonizar y con la que no. Tu casa también capta todo lo que allí sucede aunque no sea visible. Como estas tú, está tu entorno; como está tu entorno, estás tú. Como es adentro es afuera, como es afuera es adentro.

Mi maestro de Reiki me explicó, con una metáfora, cómo protegerme. Él dijo que los humanos somos cómo grifos o caños de agua. Si el grifo está cerrado, por su abertura podía entrar cualquier cosa, es decir cualquier tipo de energía no deseada. Pero si nuestro grifo está siempre abierto y de él brota amor infinito, nada podría entrar y perjudicarnos. Conviértete en un grifo chorreante de alta vibración y así la baja vibración no podrá alcanzarte.

La *ley de la atracción* funciona también aquí: atraes la energía que tú mismo emites y rechazas la contraria. La luz atrae más luz, la oscuridad más oscuridad. La luz deshace la oscuridad. Y el amor atrae más amor, y el miedo más miedo. Nadie podrá afectarte o perjudicarte si tú te mantienes en una frecuencia vibracional más elevada. Enfócate en cambiar lo que emites para modificar lo que atraes, tan sencillo y poderoso como esto.

No luches contra la oscuridad o el mal, lo mejor es evitarlo al elevarte a la luz. De lo contrario, refuerzas lo que quieres eliminar. La oscuridad se disuelve al aumentar la luz. Si entras en guerra con la oscuridad pierdes tu luz. Por eso tu misión es vibrar en la frecuencia del Amor, eso te protege a ti y rechaza la oscuridad.

Algunas técnicas de *protección energética* (higiene del aura) que seguro estabas esperando:

- Paseos en la naturaleza (campos, bosques, mar, ríos, montañas...).

- Meditación y visualizaciones.
- Afirmaciones y decretos.
- Vibración sonora ordenada.
- Baños de sal.
- Baños de sol.
- Alimentación sana.
- Exfoliación con sal marina.
- Hilo rojo.
- Lecturas inspiradoras.
- Terapias energéticas.
- Vibrar a la frecuencia del amor.
- Cierre de aura (incluso cuando duermes).
- *Ho´oponopono.*
- Oración.

Es interesante aplicar algunas de ellas antes de ir a dormir, antes de meditar, antes de entrar en centros comerciales, cines, reuniones, ambientes cargados, despachos... y también después, al salir. Crea tus escudos de protección energética antes y después. Cada día.

Hay algunas prácticas de visualización para pasar de una tendencia negativa a una positiva. A medida que vas limpiando tu aura de implantes oscuros y de parasitos astrales, tu vida se reorganiza a mejor. Si caiste en desgracia también puedes elevarte al estado de Gracia.

Visualización *Gassho* en la ducha. Aprovecha el inicio del día en la ducha para aplicarte la técnica de purificación mental. Pon tus manos unidas por las palmas (saludo *Gassho*) cuando estés bajo el chorro de agua tibia de la ducha. Cierra los ojos e imagina cómo el agua que cae sobre ti es luz y energía sanadora que entra por tu chakra de la coronilla, llena todo tu cuerpo de luz y sale por tu chakra raíz para regresar a la Madre Tierra.

Repetición mantras. Para cargarte de elevadas vibraciones desde el inicio de tu jornada, nada mejor que agradecer cualquier cosa que se te ocurra, no importa qué, lo que importa es la emoción de agradecimiento. Puedes repetir «Gracias» varias veces como un mantra de purificación. Adicionalmente puedes usar algún mantra de tu gusto que ha sido usado millones de veces por otros seres de buena voluntad antes de ti. A mí especialmente me gustan:

- OM MANI PADME HUM
- OM A HUM GURU PADMA SIDDHI HUM
- OM TARE TUTTARE TURE SOHA

Que vienen a ser *imanes vibracionales* de la compasión, la sabiduría y la prosperidad. Hay muchas más palabras de poder, sagradas, que han sido cargadas de energía benévola durante siglos por muchos seres compasivos; elige las que te gusten más. Lo importante no es la forma sino la intención que las empodera.

Visualización de luz protectora. Tras una relajación, y tres respiraciones profundas (una para la mente, otra para las emociones y otra para el espíritu), imagina cómo un rayo de luz dorada o violeta, procedente del centro de la galaxia, entra por tu coronilla y alcanza tu corazón donde forma una bola de luz que te sana, te purifica y te protege. Esa bola de luz crece desde tu pecho hasta unos metros más allá envolviéndote. A la vez, un rayo de luz parte de tu centro hacia el centro del planeta Tierra y te conecta con la Madre Tierra que absorbe tu energía pesada y de baja vibración. Imagina cómo tu aura te protege y se expande a tu alrededor. Sellas tu campo energético. Durante tu jornada, tan solo tendrás que recordar tu protección programada, brillando a máxima potencia, como un sol que te envuelve.

Si no quieres complicarte, simplemente imagínate dentro de una torre de luz luminosa, culminada en lo alto por un sol protector que la alimenta. Con eso basta.

El aura es un campo energético elástico y puedes expandirla decenas de metros o contraerla sobre el cuerpo, como una segunda piel. Esto es útil en aglomeraciones; si no quieres que nadie ingrese en tu campo, contraes.

Cuando se contrae, se densifica y aumenta su impermeabilidad. Mantén tu aura fuerte y sellada, es tu brillante armadura espiritual.

Azul (Raimon) o negro (Jürgen)

La ropa oscura, de color azul marino o negro, crea un efecto protector, de contracción de aura, y es el color indicado para una presentación en público, cuando es más adecuado protegerse. Ahora ya conoces uno de los motivos por los que siempre me verás vestido en azul marino y mi amigo Jürgen Klaric, siempre de negro (en la foto). La ropa clara provoca el efecto contrario, expandiendo y abriendo tu aura, lo cual me parece más adecuado para pasear por la playa o la montaña, o para una reunión familiar privada.

Pero la mejor y más sabia de las protecciones es ser consciente, estar *despierto*, conocer la verdadera naturaleza divina, sentir esa naturaleza lumínica y conectarse con ella... todo lo cual obliga a las entidades parásitas y oscuras a retirarse. Cuanto más vive un ser humano su esencia espiritual, más difícil se lo pone a las entidades parásitas para usurpar, poseer, invadir, seducir o dañar. El Amor es la coraza protectora de los iluminados.

Para quedar protegido, basta con que consideres sin ningún genero de dudas que tu aura brillante bloquea cualquier agresión o parasitación energética. La luz es tan poderosa que disuelve cualquier negatividad que te rodee o, en la distancia, de personas que piensen mal de ti. Y para redoblar tu seguridad dentro de tu aura, introduce una llave de seguridad (ID), tu huella digital única (igual a como te reconoce tu smartphone), para que nada pueda entrar o adherirse.

Y algo más muy sencillo de hacer, llevar el hilo rojo, que es una tradición de la sabiduría de la *kabbalah*. Se trata de un hilo de algodón rojo que se anuda en la muñeca izquierda. No hace falta decir que es un símbolo, en este caso de protección, pero no deja de ser «tecnología espiritual». Para mí, es un recordatorio. Cuando lo miro me recuerdo a mí mismo que no debo reaccionar desde mi ego al ego desafiante de los demás. Pienso que no seré juzgado si no juzgo. Y que desear el bien de todos es la mejor protección para estar yo mismo bien.

Llevar ese hilo rojo, a modo de pulsera, siempre, incluso cuando duermes. Es el símbolo de tu protección ante la envidia y los malos pensamientos que puedas despertar en otras personas. Los sentimientos negativos ajenos pueden ser un obstáculo real en tu vida que te dificulte avanzar.

Demasiada gente no se siente feliz cuando conoce tu éxito. Entonces lanzan una flecha energética que puede agujerear tu aura. Te recomiendo que siempre te alegres por el éxito de los demás y les felicites sinceramente por ello. Esa es otra forma de protegerte de emociones envidiosas. Alégrate de los éxitos ajenos como si fuesen propios y luce tu hilo rojo para recordártelo. No es el objeto material lo que te protege, sino su significado y tu intención.

¿Por qué rojo? Es el color de menor vibración. ¿Por qué en la mano izquierda? Es el lado receptivo si eres diestro. Pero un símbolo, sin una intención que le dé poder, de poco sirve. Con intención, con la actitud que te he mencionado (compasión, bondad, perdón) intercepta y desactiva la negatividad.

Otra forma de hacer la *colada energética* es con un «escáner de luz». Sitúate de pie bajo el sol, cierra los ojos. Ahora imagina como la luz solar te hace un scanner de la cabeza a los pies. Siente como tu aura se va limpiando, recargando y liberando de cualquier larva, parásito o implante oscuro. Visualiza como la luz te purifica. Eso es todo.

Todo lo anterior te puede sonar muy esotérico, muy «pillado por los pelos» y hasta ridículo; pero créeme, te aseguro que he vivido de primera mano situaciones bastante desagradables. Te sugiero que abras tu mente a este tema y seas prudente. Recuerda el consejo del gran genio Nicola Tesla: «Si quieres entender el mundo pon atención a la energía y la vibración, pues de eso va todo».

AYUDA DE LOS GUÍAS PERSONALES

Quiero que sepas que nunca caminas solo. El concepto de soledad es una invención del ego y no existe semejante cosa en todo el universo. Otra cosa es lo que ven los ojos: separación, individualidad y aislamiento. Busca la verdad y no lo que ven tus ojos.

Imagino que ya has oído hablar de los *guías personales* o *espirituales*, pues quiero decirte que es un concepto real. Tengo la impresión certera que todos los humanos, desde que nacemos, contamos con preceptores, mentores de vida, que nos acompañan y nos orientan cuando es más necesario.

Se dice que cuando un ser humano nace, llega con el acuerdo espiritual de recibir el apoyo de entidades no encarnadas que le ayudarán en esta vida. Esos seres están en un segundo plano y solo pasan al primero, apoyo activo, cuando la persona está en apuros. Los guías, en plural sin importar cuántos o quiénes, nos ayudan de manera puntual, sin que estén siempre a nuestro lado o disposición. No son guardaespaldas o algo así, acuden cuando es necesario, y asisten a otros humanos cuando no les necesitamos.

Ayudan a muchas personas y acuden cuando su ayuda es necesaria (incluso antes) y siempre cuando estamos abiertos y dispuestos a escucharlos. Pero no, no oirás voces (salvo que te halles en una situación de inminente peligro o de gran bloqueo personal). Yo he oído su voz, he recibido sus palabras un par de veces en mi vida y solo puedo decirte que su tono está libre de cualquier juicio y que está lleno de Amor. Y he sentido su ayuda en infinidad de ocasiones.

No quiero que pienses que son tu escolta que te protegen y que te aíslan del mundo. Al contrario, pueden exponerte a situaciones duras, pero necesarias, para que rompas todas tus resistencias y te abras al camino del corazón. A veces, te dejan caer porque saben que detendrán tu caída. A ras de suelo se comprenden cosas interesantes. Los guías son entidades que más que resolver tus asuntos mundanos, están para apoyarte en tu evolución espiritual. Y algunas veces eso requerirá tus lágrimas pero has de saber que ellos se sentarán a tu lado para guiarte.

Quiero recalcar que no son servidores a *full time* que impiden toda situación difícil, menos aún están para tramitar las quejas del ego. Pero es cuando más sufres, cuando más cerca les sentirás porque es cuando más necesitas escuchar. Entonces se emplearán a fondo para mantenerte a flote. No porque tus problemas sean importantes sino porque tu evolución es importante.

No me mal entiendas, tus guías pueden ayudarte en asuntos del día a día, cosas muy mundanas, como asuntos de pareja, salud, familia, trabajo y finanzas... pero lo hacen porque ello va a servirte para prosperar a nivel espiritual, que es el fin al que sirven los guías. Van a velar por todas tus necesidades elementales, pero darán prioridad al avance espiritual, más allá de los logros mundanos.

Todos disponemos de esa ayuda, aunque no todos estamos abiertos a recibirla. Nadie está desamparado, abandonado a su suerte, aunque puede que en la desesperación, sus propios gritos le impidan escuchar la ayuda que proviene de sus guías. Encuentran muchos modos de llegar a las personas. Algunas reciben mayor claridad mental, otras impulsos, otras intuiciones o *insights* lúcidos, sueños premonitorios, sincronicidades, algunas veces incluso oyen en la mente un mensaje claro. A mí me ha pasado todo eso y a ti seguro que también.

Cuando necesites respuestas e inspiración, pregúntate cómo resolvería la situación, en la que te hallas tú, alguien como Jesucristo, Buda, o cualquier maestro ascendido. Y conecta con tus sensaciones, adhiérete solo a lo que concuerde con lo que se esperaría de ellos. Si vas a imitar a alguien, que sea a los mejores.

¿Quiénes son y de dónde proceden los guías? Son seres espirituales (provienen de la luz, no confundirles con entidades astrales que procederían del limbo). Son seres que han encarnado antes y que se prestan a servir a otros en su experiencia en la 3D. No tienen porqué ser antepasados o familiares difuntos. Lo cual no es ni deseable, ni frecuente.

A los *guías personales* pueden unírseles puntualmente *guías instructores* que apoyan a los humanos creativos en el arte o la ciencia y que necesitan ayuda para avanzar en su creación. Esto lo sé muy bien porque soy escritor y sé que no trabajo solo. Muchas veces releo alguno de mis libros y siempre me sorprende lo escrito, no sé de quién provino el mensaje escrito, pero no fue de mi mente.

Mis guías personales-instructores (tres en mi caso) acuden cuando les necesito y me orientan para resolver mis problemas-bloqueos. Si tú estás empezando en una tarea creativa y te bloqueas y abandonas tus proyectos, he de decirte que no hay nada malo en ti ni en tu trabajo. Lo resolverás cuando te comprometas al cien por cien con tu proyecto (eso activará tu conexión intuitiva). Recibirás ayuda, pues no hay elegidos ni privilegiados. Todos somos dignos de recibir ayuda del otro lado.

Nunca estás solo, siempre estás apoyado

Los artistas lo llaman *inspiración* o *musas*, pero no es importante cómo lo llamamos, la ayuda está siempre disponible para quien está dispuesto a recibirla; aquellos que más se abren a esta ayuda son los más inspirados. En mi trabajo de escritor, ni siquiera intento distinguir entre una idea propia (de la mente) o inspirada (del corazón). Siempre he dicho que lo que escribo ni es mío ni procede de mí (mente) y que se trata de conocimiento accesible a todos.

Cuando esto se hace más evidente es cuando hablo en público. Durante los primeros minutos, mi mente está al mando. Y no es cuando entrego lo mejor de la sesión, pero al cabo de unos minutos, me olvido de mí, me «enchufo», entonces todo sale fluido y preciso, ¡llega lo mejor de la sesión! Me ocurre siempre así y me consta que a otros compañeros de profesión les sucede lo mismo. La prueba es que al final de una conferencia, me siento lleno de energía, cuando debería estar cansado por estar de pie, expuesto a muchos ojos y forzando la voz. Sin embargo, mis «pilas» se recargan porque entro en contacto con una inteligencia poderosa que me recarga con su Amor.

Otras veces, cuando estoy escribiendo, noto (como ahora mismo) cómo mi séptimo chakra, coronilla, aumenta su velocidad de giro al activarse por la inteligencia que me inspira. No oigo voces ni nada parecido, las ideas comprimidas (no dictadas) llegan a una velocidad que supera mi capacidad de escritura, son fogonazos o paquetes de luz-conocimiento que yo transcribo después lo mejor que puedo con mis propias palabras.

Mis guías personales, otras veces, soplan en mi rostro disolviendo cualquier obstáculo en mi mente que me impide ser creativo. Es decir, unas veces me entregan un mensaje comprimido (como un archivo .zip) y otras me liberan de mis bloqueos para que no me atasque.

Para ser creativo no puedes ser censor. Cuando escribo, no valoro la calidad de lo escrito, solo lo plasmo. En una segunda sentada, valoro, corrijo y cambio. Primero soy un lápiz y después soy una goma de borrar. Son dos roles diferentes, dos tareas que nunca han de hacerse a la vez. En la primera soy todo corazón, en la segunda soy todo mente. Es por eso que mis primeros manuscritos son un auténtico desastre literario. Pero contienen el material inspirador al que después le saco brillo y esplendor como escritor.

Siempre he dicho que «yo soy un lápiz para aquello que desea ser escrito a través de mí». Ser un simple lápiz te quita mucha presión. E insisto en que no he inventado nada. Para mí es absurdo tratar de discernir si una idea es mía (mi mente o ego) o fue inspirada (mi corazón o Yo Soy). He comprobado que las mejores ideas surgen cuando me desapego de cualquier atribución personal. Cuando no busco nada entonces encuentro todo (me parece que algo así dijo Picasso).

Para todos aquellos que estén empezando a escribir, o a crear lo que sea que quieran crear, les recomiendo:

1. Compromiso del cien por cien con su obra.
2. Disciplina absoluta.
3. Apertura espiritual.
4. Disolución de su ego y sus miedos.

Si cumplen con estos preceptos subirán a otro nivel. Palabra.

6

INTUICIÓN DIVINA

CONECTA CON TU ALMA

Mientras nos rellenan la taza de café, permíteme que te recuerde que eres muy amado, nunca has sido abandonado, la soledad no existe en ningún rincón del universo; todo eso es una invención humana. Recuerda por un instante cuánto amas a tus hijos, ahora entiende que la Fuente divina o Principio creativo siente ese mismo Amor por ti, tal vez más. Eres muy querido, lo has sido y lo serás siempre, es por eso que eres acompañado. Con esa certeza vive tu vida desde la divinidad interior. Tu sabiduría interior y tus guías están deseando ayudarte en tus asuntos por muy mundanos y triviales que parezcan.

Nuestros *guías personales* y nuestro Yo superior nos conectan con la Fuente de la divinidad. Son muy reales y es una ayuda a la que no deberías cerrarte. Cuando trabajas «en equipo» con el *otro lado*, todo es más sencillo y rápido.

Lo que sé es que no hay ninguna necesidad de andar el camino de la vida a solas, por libre, a tu suerte, porque siempre estamos apoyados por la divinidad. Unas veces, nuestros *guías personales* nos toman de la mano, otras nos llevan en brazos (cuando peor están las cosas) y por la noche apoyamos la cabeza en su regazo antes de quedar dormidos y reposamos en su amparo.

Tu Yo superior es el *sabio interior* del que recibir su amorosa guía. Conectar con el Yo superior es entrar en contacto con la divinidad (tu Yo superior es la versión de ti de la 5D). Y la mejor forma para hacerlo es interiorizar: meditar, rezar o simplemente unirse a lo insondable que mora en ti.

Pregunta y recibirás respuestas. Unas veces, vendrán en el idioma de las *sincronicidades*, otras en el de las señales. La inteligencia que te lleva en brazos te apoyará respetuosamente de muchas maneras y es probable que, a fecha de hoy, te haya asistido ya de muchas maneras que confundiste con casualidades.

Por lo que compruebo entre mis mentorizados, no aceptamos el derecho natural de ser asistidos. Creemos no merecer ayuda, ya sea del Yo superior o de los *guías personales*. Lo cierto, es que no podemos ver aquello que no observamos. Lo que no se mira no se puede ver. Es te café es para comprometerse a entrar en contacto con nuestro Yo más elevado (no es un privilegio reservado a gurús y santones, sino algo disponible para todos). Está en nuestra naturaleza.

Eres la vez humano y divino, tu propósito de vida es llegar a comprenderlo.

Por favor, no te hagas de menos, eres uno de los *trabajadores de la luz* que ha elegido nacer en esta era de la humanidad para elevar la conciencia planetaria. Has asumido una misión sagrada y contarás con la guía oportuna para culminarla. No estás a solas nunca, en ninguna parte. Tienes toda la ayuda disponible a tu alcance, si es que la aceptas.

Sé que te has sentido solo porque has vivido de espaldas a tu dimensión espiritual. A mí me pasó igual. Pero es hora de corregir ese malentendido ya que nunca consigues nada de la mayor importancia sin ser plenamente inspirado y guiado a conseguirlo. Cuando tu ego entregue el volante de tu vida a la divinidad, todo irá sobre ruedas. Déjate ayudar.

Lector, te confieso que siempre me he sentido muy apoyado. He salido adelante en situaciones complicadas, he visto cómo se resolvían problemas ante mis ojos de manera inesperada. Una y otra vez los caminos se han abierto ante mí. Me siento muy acompañado desde que nací, incluso desde antes de nacer cuando mis guías me salvaron la vida. La sensación que me acompaña siempre es la del Amor acunándome todo el tiempo. Recibo una inmensa cantidad de ayuda y ese es el primer motivo por el que me siento agradecido cada día. Y tú también lo estarás, si estás dispuesto a aceptar el Amor como única guía.

Para conseguir apoyo del otro lado no tienes que hacer nada, no hay méritos. Basta con deshacer todas las barreras que el ego ha levantado, con rendirte al Amor y solicitar guía amorosa. Cuando entregas todos tus pasos a la luz, tu único trabajo es andarlos, no decidirlos. Sabes que regresas al Amor y con esa certeza te basta para seguir avanzando. Los pasos entonces se revelan a sí mismos, uno a uno, cuando usas el corazón como brújula.

Sé humilde, no cargues con todo el plan a tus espaldas, pide ayuda a tu sabio interior en tu décimo chakra. Cuando te abres a recibir apoyo, se hace una enorme diferencia en tu vida. Si me preguntas qué puedes hacer, te diré que pedir orientación, comprensión, entendimiento, inspiración, guía, ayuda y respuestas. Basta con desearlo por encima de todo, es suficiente con dedicar un poco de tiempo a la introspección y abrir el corazón. Lo que quieres saber está buscando ahora mismo el modo de llegar hasta ti. Permítelo.

En cuatro pasos, para conectar con tu alma, esto es lo que puedes hacer:

1. Acallar la mente.
2. Preguntar.
3. Pedir.
4. Escuchar.

Pide y se te dará. Pregunta y sabrás. Pide guía y no te perderás.

Crea un contexto sagrado para conectar con tu intuición divina: tu lugar de silencio, tu tiempo para ti, apertura mental... Todos tenemos un Yo superior conectado con la divinidad (doceavo chakra).

Al principio, es más sencillo preguntar por asuntos que no te importan demasiado y son intrascendentes: «¿Este libro es verdadero?», «¿me conviene comer este plato de pasta?», «¿tengo algo bueno que aprender viendo esta película?», etc. Unos días haciendo al menos una docena de preguntas intrascendentes al día, te habituará a solicitar guía. No temas molestar ni ser pesado, tu Yo superior quiere ayudarte a conseguir una vida más realizada, siempre.

Después de unos días, puedes pasar a preguntar por asuntos más importantes para ti: «¿Me conviene vivir en esta ciudad?», «¿es hora de cambiar de trabajo?», etc. Nunca formules preguntas predictivas del futuro (no preguntes por los números de la lotería, tu sabio interior no es un oráculo, ni está interesado en hacerte rico). Haz preguntas cerradas (se contestan fácil: «Sí», «No», «neutro») y muy concretas para evitar equívocos.

No busques respuestas en otros, sino en ti

Puede ser que tus primeras respuestas sean sensaciones corporales. Pide a tu Yo superior que te muestre la sensación corporal de un «Sí», la sensación de un «No» y la sensación de «neutro». Cuando las hayas establecido, tendrás el código para descifrar las *respuestas intuitivas*. Si no obtienes un código claro, entonces sé proactivo y establécelo tú. Dile a tu Yo superior la sensación que eliges para un «Sí», la sensación que eliges para un «No», y la sensación elegida para «neutro». Un código trinario. Pide, además una señal como *contraseña* para identificar tu conexión. Yo solo me intereso por conectar con mi Yo superior (o esencia divina, nada de canalizaciones). Y siempre recibo su *contraseña* a modo de saludo. Es mi modo para reconocer a mi Yo superior, un *código de seguridad*, y evitar contactar con entidades astrales.

Cuando tomas confianza, puedes pasar a preguntas más relevantes. Pero trata siempre de preguntar sin influir en la respuesta, eso sería como tratar de engañarse a uno mismo. Por ejemplo: «¿Verdad que esto es lo que me conviene?» es muy mala pregunta. Cuando una respuesta te sorprenda, puedes volver a formularla (yo hago hasta tres repeticiones como máximo), pero una vez tengas tu respuesta confirmada, hay que darla por buena y aceptarla. No dudes de tu sabio interior, no le cuestiones, ni discutas con él o estarás saboteando la intuición divina (conexión interior). Después de preguntar, actúa en línea con lo recibido.

Yo siempre pido orientación cuando enfrento decisiones importantes o incluso aspectos de mi día a día que me afectan menos. Ya es un hábito para mí que me libera de cometer demasiados errores. También pido inspiración para escribir mis libros con la chispa divina que los haga valiosos para quienes van a leerlos. Saber que mi sabio interior me guiará, resulta muy relajante para mí.

Tu conexión con tu Yo superior, la chispa divina, es clave para tu ascensión 5D.

La autora Barbara Marciniak nos proporciona un método de consulta intuitivo que ella llama *La sala de las respuestas*. Propone visualizar una sala de biblioteca o de lectura donde podemos acomodarnos y sentirnos seguros. Una vez allí, basta con formular una pregunta y después salir con la certeza de que la respuesta nos alcanzará en algún momento en los días siguientes. La metáfora es adentrarse en el centro del conocimiento y la respuesta se desplegará a su propio modo y tiempo.

Conectar con tu Yo superior marcará un punto de inflexión. Es hora que conectes con la luz que mora en ti y recibir intuiciones divinas.

Siempre recomiendo prudencia y preparación. No propongo espiritismo, lo cual es otra cosa bien diferente que no te aconsejo (viajes astrales, canalizaciones, escritura automática, mediumidad, adivinación). No te lo recomiendo en absoluto, al menos si careces de una excelente preparación. Mi intuición me dice que no necesito nada de todo eso tan esotérico (y seguramente tú tampoco). La intuición divina es muy diferente, es la conexión con tu identidad real. Espiritualidad sí, espiritismo, no.

La intuición divina no tiene nada que ver con entidades desencarnadas del plano astral 4D, ni con tu subconsciente, ni con el vocerío inacabable del ego-mente, ni con el inconsciente colectivo. Como sabes, la mayor parte de humanidad sigue *durmiendo* (90%) y por esa razón, sufre. No te sirven como referencia.

El sufrimiento emocional crea una nube astral en las ciudades y las grandes concentraciones que parasita a personas desprevenidas. Ese «pegote astral» puede adherirse a tu campo energético o aura y perjudicarte. En efecto, podrías pensar los pensamientos de otros y sentir los sentimientos de otros. O peor, ser parasitado por entidades del astral. En unos minutos te enseñaré protección espiritual.

Pero de entrada, te diré que la mejor forma de no atraer influencias indeseadas es mantener un tono elevado en tu frecuencia vibratoria. Lo que se dice vibrar alto. El Amor siempre es impenetrable y disuelve la oscuridad. Tu mayor seguridad consiste en una conciencia elevada centrada en la unicidad con lo divino. Es tu escudo espiritual.

Siempre que tengas dudas, fíjate en las sensaciones que obtienes y en cómo te sientes emocionalmente. Obtendrás una guía de primera mano y sabrás diferenciar la voz divina de otras voces nada aconsejables. Acepta solo lo que proviene del Amor y la Luz y vibra en su elevada frecuencia.

Tanto si vas a meditar para consultar, como si vas a hacer una lectura de *calibración kinesiológica* (enseguida te explico qué es) para valorar, antes te recomiendo:

1. Hacer tres respiraciones profundas.
2. Reforzar y sellar tu aura con una visualización.
3. Decretar o afirmar tu poder y tu control.
4. Pedir una señal, la identificación de tu Yo superior (contraseña).
5. Valorar cómo te sientes emocionalmente y energéticamente.
6. Preguntar lo que precises saber.
7. Aguardar las sensaciones corporales: «Sí», «No», «neutro».
8. Dar las gracias.
9. Seguir las indicaciones.

Cuando vayas a tomar un decisión, sintoniza antes.

Cuando vayas a dar un paso decisivo, sintoniza antes.

Cuando pidas orientación, sintoniza antes.

La relación con tu Yo superior es la más importante de tu vida, cuídala, nútrela.

CALIBRACIÓN KINESIOLÓGICA

Kinesiología proviene del griego *kinesis* que significa *movimientos* y es una disciplina que estudia el movimiento y respuesta corporal y la reacción muscular ante un elemento en análisis. La kinesiológia es una terapia alternativa no certificada que estudia el conocimiento intuitivo mediante el uso de técnicas, como el *test muscular* y la *radioestesia*.

De ella me interesa un principio básico: «la verdad refuerza nuestros músculos y la falsedad los debilita». Tan sencillo como esto. A partir de ahí, es muy fácil ver cómo respondemos cuando se nos expone a una afirmación (verdadera o falsa). El cuerpo reacciona y no miente.

Una afirmación verdadera refuerza mi respuesta muscular (por ejemplo: «me llamo Raimon») y una afirmación falsa debilita mi respuesta muscular (por ejemplo: «me llamo Maria»). Es una prueba de respuesta binaria: «Sí» (fuerza) o «No» (debilidad), siendo la respuesta muscular muy sutil y breve pero confiable e irrefutable. Es un leguaje binario, como el informático de 1 y 0 («Sí» o «No», encendido o apagado), tal como hacen los ordenadores.

La prueba muscular revela la verdad o la falsedad sobre cualquier cuestión pasada o presente de una persona: un suceso, un libro, una información, un producto, un acontecimiento, una formación, etcétera. Puedes calibrar, medir la veracidad (con la precisión de una escala de cero a mil) de cualquier cosa (ya sea material o inmaterial, presente o pasada). Interesante, ¿verdad? Yo siempre someto a test los libros que voy a leer para no perder el tiempo. Y muchas otras cosas.

La *calibración kinesiológica* es la versión mundana de la «intuición divina». Para los que no se sienten cómodos conectando con el ámbito interior (espiritual), aquí pueden llevarlo al ámbito exterior (mecánico). Pero en esencia, no deja de ser lo mismo, son diferentes modos de abordarlo.

¿Por qué esa reacción muscular? Un músculo se debilita ante la falsedad y se fortalece ante la verdad. La naturaleza es sabia. Hablando en términos metafísicos: la conciencia solo reconoce la verdad y no responde a la falsedad porque no es real.

La calibración kinesiológica es tremendamente exacta y es irrefutable porque está conectada con el campo unificado. Toda la información está en el inconsciente colectivo y disponible para cualquiera. Y podemos conectar con la fuente de la verdad. Por tanto, no es una respuesta local (de tu cuerpo), sino de la conciencia que utiliza el cuerpo (o el péndulo, o la varilla en L) para responder de forma irrefutable.

Hay ciertas condiciones para que funcione. La prueba muscular requiere de dos personas. Además, tanto el testeado como el testador, tienen que estar en una vibración de poder mínima. Es condición innegociable que ambas personas estén en el nivel de coraje o más elevado (esto es, calibren más de doscientos en base mil).

Así mismo, es indispensable que no haya ruido de fondo, que no haya interferencias acústicas y que haya cierto ambiente de silencio y quietud.

Otra premisa es que no haya elementos metálicos en el cuerpo de la persona a la que se somete al test muscular, y preferiblemente tampoco en el testador.

Lo que consigues es conectar con el campo unificado donde reside el conocimiento.

Lo primero es preguntar si puedes preguntar.

Lo segundo es dirigirte al Yo superior, sabio interior, guías personales, divinidad... Lo último que quieres es contactar con una entidad del astral que se inmiscuya en tu indagación. Por eso cuando preguntas, condicionas la consulta al mayor bien de los implicados y exiges orientación de la luz y el Amor. Cuando termines, recuerda dar las gracias con respeto y agradecimiento.

En lugar de hacer preguntas, mejor conviértelas en afirmaciones. Recuerda que vas a buscar un «Sí» o un «No». Por ejemplo: «¿Este libro contiene verdad?» se mejora con: «Este libro contiene verdad». La afirmación encierra una fuerza y claridad de la que carece una pregunta. Esa fuerza generará una respuesta también categórica.

Puedes usar también un péndulo que es un instrumento que hace de conexión entre el campo unificado y el consciente. En sí no es más que un peso en el extremo de un hilo. La prueba del péndulo es mucho más autónoma (no necesitas a nadie más) y también es irrefutable como el test muscular kinesiológico. El péndulo (por ejemplo: una cadena y un cuarzo, un hilo y un corcho), no tiene ninguna complicación y no dependes de nadie.

Si quieres graduar las respuesta, recuerda que estás en un sistema binario, tendrás que ser creativo. Te sugiero dibujar en un papel un medio círculo y trazar radios, cada uno será una cuantificación: porcentajes, cifras, categorías, clases, importes... y según la dirección que adopte el péndulo, obtendrás una cuantificación más precisa que un «Sí» o un «No».

Estos gráficos se llaman «biómetros» y encontrarás muchos ejemplos en Internet.

Te pongo un ejemplo, en cierto momento empecé a ganar peso y grasa abdominal, algo que tengo muy controlado por el tipo de alimentación que sigo. No entendía a qué se debía ese desajuste que duró meses. Mi intuición me condujo a testear los suplementos nutricionales que tomaba. Los comprobé uno por uno y (¡oh sorpresa!) tuve que desestimar dos que no calibraban a un nivel aconsejable. La dosis excesiva de uno de ellos era la causa por la que ganaba peso a pesar de hacer ejercicio y comer frugalmente. ¿Qué hice? Lo eliminé por unas semanas (después, lo reintroduje en una dosis mucho menor) y en apenas un mes recuperé mis cifras en mi báscula multifunción.

(*Nota: Está totalmente desaconsejado calibrar diagnósticos de enfermedades o de síntomas y de remedios. Si tienes un problema de salud acude a los profesionales*).

Otro ejemplo, cuando sospecho de la veracidad de ciertas noticias, en política por ejemplo, someto a validación esa información, para saber primero si es veraz o no; y en caso de ser verdad, el porcentaje de credibilidad y exactitud.

Veamos más aplicaciones. Para valorar la credibilidad de un libro, afirma: «Este libro contiene verdad y es fidedigno», si recibes un «Sí» sigue adelante con el *chart* de calibración de 0-1.000 que verás en la imagen para evaluar cuánto de recomendable es la lectura. Si recibes un «No», tíralo, no te molestes en leerlo.

Como te decía, puedes conseguir estos *charts* o *biómetros* en Internet, escribe «biómetro» en tu buscador, pulsa «imágenes» y ahí tienes decenas de plantillas de radiestesia por temas, en colores y para todos los gustos.

Imprimes los que necesites. O mejor vas a www.subtil.net y descargas o creas las que quieras.

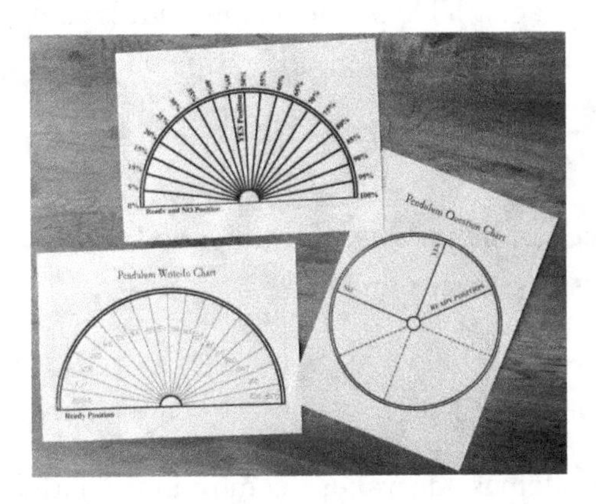

Crea tus propios biómetros de calibración de radiestesia

Y unos últimos consejos, y muy importantes, ni se te ocurra testar el futuro para obtener predicciones («¿me casaré?»,«¿seré rico?», «¿moriré viejo?»...). Eso te sitúa en una frecuencia baja, la de ego, la del miedo, y te desconecta del campo unificado; así que no te servirá de nada preguntar si sucederá tal o cual cosa. Las respuestas serán aleatorias.

Tampoco trates de influir en la respuesta, «aléjate de ti mismo», como si no te fuera nada en ello. Y otra cosa, no te inmiscuyas en las vidas de los demás, es *ilegal* espiritualmente hablando. No uses la *calibración kinesiológica* para averiguar sobre los demás pues no tienes su permiso. Sería tan inútil como irrespetuoso. Por lo demás, lo que puedes consultar y validar no tiene limites, salvo los expuestos.

Si tú mismo no aprendes a proteger tu aura y si no vibras en la frecuencia del amor (por encima de doscientos en base mil)... olvídate de este apartado: no te funcionará, será erróneo, aleatorio y además puedes sufrir problemas relacionados con el bajo astral al que estarás expuesto. Y en ningún caso (ninguno es ninguno) se te ocurra usar una *tabla Ouija*. Tienes que diferenciar muy bien entre lo que es espiritualidad y lo que es espiritismo. Es un tema muy serio, nada de juegos.

Dicho todo esto, incontables personas a lo largo de siglos han utilizado estos métodos de prueba y les han funcionado de manera muy precisa (¡sobre todo para encontrar agua!). De pequeño, mis padres contrataron a un zahorí profesional para encontrar agua en una propiedad rural que explotábamos ¡y vaya si la encontró! (me pegué a él y vi todo lo que hacía para encontrarla).

Cuanto más practicas, mejor sale. Recomiendo los libros del Dr. David R. Hawkins, un maestro en este tema.

LA BENDICIÓN DE LAS CRISIS

Una crisis es algo demasiado valioso como para dejarlo pasar sin obtener algo de ella. Cuando pierdas, gana. Nunca permitas quedarte solo con la parte negativa de una crisis, aspira a atesorar la parte positiva. Si no la ves, busca bien y la hallarás, todas las crisis esconden un inmenso regalo, son oro envuelto en lágrimas.

Siempre que pierdas, acuérdate de ganar.

Soy experto en crisis y sé que una crisis no llega para fastidiar, es una llamada al cambio. Es el final de una etapa y el inicio de otra. No pasarías por ella si no la necesitases. Nada es fútil o irrelevante en el devenir de los acontecimientos. Si no puedes entenderlo ahora, un día lo tendrás muy claro. Sé que una sacudida no resulta agradable para nadie, pero si no, ¿cómo ibamos a despertar y reaccionar?

Sé muy bien lo que es pasarlo mal. Hubo un tiempo en que era la tónica en mi vida. Crisis de pareja, de salud, de trabajo... aprendí en todas esa *escuelas*. Y como mi *sordera* no hacía más que aumentar, la siguiente crisis era peor. Hasta que me cansé de sufrir en vano.

Hace muchos años, un día decidí rendirme, por probar. Estaba cansado de sufrir (no sé si te suena aquello de «harto de estar harto»). No es una decisión de valiente, sino de cobarde porque se toma desde la pura desesperación. Cuando ya no sabía qué hacer, fue la hora de aprender a no hacer nada, aceptar todo y rendir el ego a una inteligencia superior. Entonces, ¡oh, milagro!, la paz interior se instaló en mi vida y así hasta hoy. Muchas personas me dicen que les transmito paz, puede ser, pero nunca me olvido de dónde vengo (porque puedo volver allí en cualquier momento). Solo yo sé lo que he pasado y lo mucho que me ha costado todo.

La buena noticia es que no eres tú, sino el ego, quien sufre en las crisis. De modo que cuando lo disuelvas, el sufrimiento se disolverá con él. Este es *el gran secreto revelado* de este libro. Es tu gran regalo, el que no podrás eludir, a menos que estés dispuesto a sufrir sin fin.

Menos ego es más paz. Más ego es más sufrimiento.

La vida se hace suave para aquellos que suavizan su ego. Cuando entiendes que el problema no es la vida, sino tu reacción a la vida, entonces cambias porque no te queda otra opción.

Las situaciones límite elaboran alquimias personales profundas.

¿Cómo fueron mis crisis?, todas de manual. La que suelo contar es mi dimisión en el banco donde trabajaba como director de sucursal. Llegó a mis 40 años (¿te suena el momento?), vino acompañada de una repentina separación de pareja que desencadenó el colapso de mi carrera profesional (dimisión del banco) y el derrumbe de mi economía. Explotó todo a la vez. Si tenía que bajar al pozo, cuanto más hondo mejor.

Días después de dimitir, se me nubló la razón y dudé. Dudé sobre si debía recuperar o no mi empleo en el banco. Mi ego decía: «¡Insensato, qué has hecho!». Mi entorno personal me miraba con preocupación, me había vuelto loco. Decidí tomarme tres días para decidir. Tres. Recuerdo que entonces vi una magnífica película argentina —*El mismo amor, la misma lluvia*— en donde el protagonista pasa por un proceso parecido al mío: seguir su vida como escritor o buscarse un trabajo corriente (¿casualidad?, no lo creo). Salí del cine con mi respuesta tomada.

La intuición divina utiliza las sincronicidades, usa películas y libros para entregarte mensajes desde el cielo. Mi guía personal me acompañó de la mano hasta el patio de butacas para aprender una lección. En la citada película, al protagonista se le aparece un amigo difunto, en medio de sus sueños, y le dice lo siguiente: «Haz lo que amas, vivirás más y mejor». Y eso mismo decidí hacer: no llamé al banco para recuperar mi empleo (¡no me rendí!). Y lo celebro porque como anticipó la película: me ha ido muy bien, vivo mejor. Si estás leyendo este libro, es porque decidí no regresar al banco y ser escritor.

En mi gran crisis se dieron varias circunstancias a la vez y no creo que por casualidad:

- Ruptura con una profesión.
- Cambio de valores radical.
- Aumento de la vibración personal.
- Cambio de círculo social.
- Cambio de mentalidad.
- Reseteo económico a cero.
- Rompimiento con el pasado.
- Disolución del ego.
- Renacimiento y reinvención.

Vivía en un mundo en el que desentonaba, no lo sentía como real y en mi interior demandaba un cambio que no quería afrontar. No era un mundo malo, solo que ya no era el mío. Pedí un cambio y ¡vaya si lo tuve! (¡pide y se te dará!). Para cumplir con ese cambio, mi ego debía dejar de dirigir mi vida. No me quedó otra que ceder el control al corazón, entregar mis pasos al Amor. Resultó un reto descomunal. La época mas difícil de mi vida pero la más necesaria e interesante. Siempre he agradecido aquellos años de desierto. Fueron un regalo inmenso.

En una crisis, lo anterior deja de ser funcional, ya no vale, el problema es que lo nuevo aún no ha llegado. Es una fase intermedia de manos vacías. Para abrazar lo nuevo hay que soltar lo anterior. Suena muy bien pero te aseguro que es como caer en el vacío sin el suelo en el que apoyarse. Sé bien lo que es tener las manos vacías y también caer.

Quiero advertirte que pasar por una crisis (pareja, salud, financiera, trabajo...) no supone necesariamente que se transmute en un proceso evolutivo. También podría convertirse en un proceso regresivo, como sucede muchas veces en personas que caen en la depresión y el suicidio. Se quedan atascadas en la oscuridad y no la usan como trampolín a algo bueno.

Un trauma emocional es el desencadenante del despertar. Actúa como una sacudida. Es el principio de acción reacción para la supervivencia (no para sobrevivir, sino para vivir de una forma más elevada).

Mi crisis de los cuarenta me regaló mi segundo despertar espiritual. La crisis globalista o Plandemia del *virus chino* me ofreció mi tercer despertar. En la primera crisis me desengañé del mundo material. En la segunda crisis descubrí quién era yo y la verdad del ser. En la tercera crisis, conocí la verdad de la *Matrix* del planeta y la humanidad.

Primera crisis, 27 años, cambio del materialismo a la espiritualidad.

Segunda crisis, 40 años, cambio del ego intelectual al ser esencial.

Tercera crisis, 60 años, despertar del Gran Engaño que sufre la humanidad.

Cada cambio es un gran despertar y todos han resultado ser dolorosos y poderosos a la vez. En cada ocasión, sentí un llamado al que no me resistí: «¿Quieres la verdad?». Siempre respondí: «Sí, por dura que sea». Saber tiene un precio, no sale gratis, pero no saber sale más caro. En las tres crisis, descubrí la ficción o fantasía que había creído real. En las tres ocasiones me sentí como un estúpido por no haber despertado antes. Y te digo algo más: esas tres crisis han sido mis regalos envueltos con lazo, procedentes del cielo, por los que estaré siempre agradecido.

Muchas personas me dicen: «Prefiero no saberlo», «esta información baja mi energía, yo me centro en otros temas», «si fuese verdad, ya lo sabría»... y cosas parecidas. Creo que no desean conocer la verdad porque no quieren gestionarla. Esa la vieja táctica del avestruz que no sirve de nada. Es más fácil entretenerse en plataformas como Netflix y similares (herramientas de *ingeniería social* de las élites oscuras para *anestesiar* las mentes). Yo siempre he elegido la verdad, por dura que sea. Nada me parece peor que vivir en el engaño. Creo que la ignorancia es la mayor pobreza humana.

Cuando vives en el gran engaño, o la Disneylandia de los adultos, despertar a la verdad es doloroso. Se derrumban las apariencias y caen las fachadas. Te sientes engañado y estafado. Si no estás preparado para metabolizarlo, y estás muy centrado, puedes caer en el trauma que es vislumbrar la *Matrix* en toda su crudeza. Esconder la cabeza bajo el ala no servirá, tarde o temprano te tropezarás con la verdad y cuanto más lo retases peor será el *shock* que recibirá la humanidad. En este libro, he preferido no entrar en detalles concretos (tampoco los conozco todos) pero te aseguro que lo que se te está ocultando es muy, pero que muy, duro y sorprendente.

Hoy la humanidad se juega su viabilidad como especie y el futuro no le será regalado, se lo tendrá que ganar. Te propongo que *despiertes*, no por ti; sino por tus hijos, por tus nietos, por el futuro de la humanidad... Está en juego la viabilidad de nuestra especie y no queda mucho tiempo para *despertar*.

7

VIDENTE VE MI FUTURO, SOFRÓLOGO MI PASADO

UN PASEO POR EL FUTURO

Abrimos una nueva conversación de café para debatir sobre las *líneas del tiempo*. ¿Existe el destino? ¿Y las profecías auto cumplidas? ¿Y el libre albedrío? Seguramente sí. Creo en la predestinación y en el libre albedrío también, operando a la vez.

Lo uno o lo otro es pensamiento polar y yo no suelo pensar en términos de polaridad. Es una clase de pensamiento limitante. Por ejemplo, la disyuntiva entre ser rico o ser espiritual me parece absurda, yo lo quiero todo y a la vez.

En una conferencia de cierto filósofo budista aprendí a integrar los polos. El ponente dijo: «Es una cosa, es su contraria, es las dos y no es ninguna de ambas... todo a la vez». Me estalló la cabeza. Aquella revelación hizo saltar por los aires las casillas en las que yo archivaba mis creencias. Boom.

La dualidad es un atraso. La *multidimensionalidad* la naturaleza del todo.

Y es así como funcionan las cosas en la 5D (ausencia de separación):

- Sí, no; sí y no a la vez.
- Es blanco, es negro; es blanco y negro a la vez.
- Es bueno, es malo; es bueno y malo a la vez.
- Es ahora, es antes, es después; es todo al mismo tiempo.
- Estás aquí, estás allí; estás en todas partes a la vez.
- Yo soy yo, yo soy tú; somos uno y todos a la vez.

No es un juego de palabras, es la *muldimensionalidad.* Somos materia, somos espíritu, somos materia y espíritu a la vez, no somos ninguna de ambas cosas. Otro ejemplo: yo elegí ser escritor antes de nacer (predestinación), confirmé esa lección una vez ya aquí (libre albedrío), e incluso elegí serlo y no serlo en dos etapas de mi vida (pase media vida trabajando en empresas y otra media siendo escritor). Es A, es B, es A y es B a la vez. Acostúmbrate a pensar así en lo sucesivo, es como funciona el universo.

Espero que lo veas tan claro como yo lo veo. Entrénate a pensar de modo inclusivo (no exclusivo) y saldrás de la trampa mental de la dualidad. La dualidad es esto o es aquello, pero no ambas cosas a la vez. Cuando tu mente se vuelve cuántica puedes ver los dos estados: el potencial y la manifestación como una unidad. Las soluciones que buscas a tus problemas no se hallan en la dualidad o separación, sino en la mentalidad unificada, en el Uno. ¿Por qué? porque la separación no existe, el Uno es real. Cualquier solución real ha de hallarse en la realidad.

Todos recibimos una *llamada* y seguramente más de una para los más «duros de oído». Cuando tenía veintisiete años, llegó mi *llamada.* Un día, sin ninguna razón, mi hermana me recomendó reservar una cita con una «vidente» que ella había consultado y que le había causado una gran impresión. ¡Una vidente! ¿Para qué la necesitaba? No lo sé, pero reservé mi cita por si acaso.

Nunca jamás en mi vida había consultado a una vidente, ni se me había pasado por la cabeza hacerlo; pero por entonces, a mis veintisiete años, tenía muchas incertidumbres acerca de mi futuro profesional y decidí probar. Por aquellos días, trabajaba en un banco, había pasado mucha tensión en el trabajo y estaba pensando en cambiar de aires en otro empleo. Sea por lo que fuera, allí estaba... La llamaré Rosita, sin mas. A fecha de hoy la supongo retirada.

Rosita, tarde del 12 de Junio de 1988.

Rosita me hizo sentir cómodo desde el primer momento. Era una mujer de mediana edad, muy cercana, afectuosa y agradable. Usaba el método de tirar las cartas aunque me reconoció que solo era un vehículo para las impresiones que recibía. Dijo que a la gente le relajaba verla manejar las cartas pero que a ella no le hacían ninguna falta.

Le hice algunas preguntas y dejé hablar, sin revelar ninguna información sobre mi persona o circunstancias que pudiera usar después en sus predicciones. Lo que me dijo en aquella ocasión fue grabado en una cinta de *cassette* que transcribo aquí en su literalidad.

Rosita me preguntó: «¿Tú escribes?», sin que viniera a cuento de nada. Respondí que era un *hobby* nada más (hasta la fecha me había llevado a ganar un premio literario en un concurso de cuentos). Afirmó con la cabeza con convicción, estaba segura (más segura que yo mismo). Dijo que yo tenía un «don para escribir». En aquel entonces yo no había escrito ningún libro, solo algún cuento y poesía que me guardaba para mí. No entraba en mis planes escribir un libro. Era un lector de novelas de mis admirados autores latinoamericanos y no sabía lo que era la autoayuda ni me interesaba la espiritualidad. Siendo sincero, solo me importaban el trabajo y las mujeres. Era muy joven.

Ella dijo:

«*Tienes un don, escribir. Ahora no, pero con los años puede que hagas algún libro. Puede que empieces con poesía. Tienes muy buenos guías. Has estudiado mucho, pero ya vienes de otra reencarnación con una gran sabiduría. Eres muy inteligente. Tienes muy buenos guías son: San Miguel arcángel, San Pedro y San Jorge. Los guías te apartarán a los enemigos y tú lo notarás.*

Tienes una gran sabiduría interior, lo que pasa es que no das nada aún porque tienes una gran timidez, que superarás. Pero tienes un porvenir fantástico. Harás muchos viajes. Llegarás a tener bastante dinero.

Eres un hombre muy prudente, tienes mucha ayuda espiritual y tienes un don para escribir. Escribir te conviene, te dan el material de noche, o de madrugada, te dan una información fantástica. Tienes un don fantástico tú, que aún no lo ejercerás, pero verás en la sabiduría. Por si solo, te vendrá tu don, poco a poco.

Serás un hombre importante. ¡Ah, sí, eres muy inteligente y tienes mucha sabiduría! Aquí lo veo... Tienes un don no desarrollado, que no ha salido aún, pero que te saldrá. Desde hace un par de años ya se te nota ese don, tienes una clarividencia fantástica. Lo que ocurre es que tu ocupación actual no te permite desarrollarla. Pero no lo vas a perder, no, lo sacarás poco a poco, porque escribiendo lo sacarás. Harás dinero y llegarás a ser nombrado. Pero no ahora, a los treinta y tres o treinta y cuatro años. Y llegarás a ser nombrado quizás por algún libro que tu hagas.

Se te pondrán al lado guías de otras existencias, hermanos de luz de mucha fuerza, que no conocerás pero que te darán información para escribir y te revelarán cosas que han de suceder en años. Ahora mismo los estoy viendo. Están a tu espalda, son altos. Escribirás un libro que guardarás para ti y con el tiempo lo publicarás.

Si no escribes, tranquilo, es una preparación que te hacen interiormente. No vas escribir solo un libro, vas a escribir más, pero ya lo harás de más mayor, aunque tendrás los datos de joven. Veo un gordo libro, luego uno mediano y muchos más. De joven vas acumulando los escritos que luego pasarás a limpio.

Tienes que hacerlo, en otra existencia fuiste un gran escritor, una eminencia. Y ahora vuelves con lo que te queda de entonces, lo que ocurre es que ahora no serás una eminencia como escritor, pero aún te queda. Pero tú harás algo muy bueno porque eres un gran escritor, como un Dalí en pintura. Escribirás libros».

Como podrás imaginar, todo aquello me sonó a ciencia ficción. A mí lo que me importaba era saber si debía cambiar de empleo o no, y también si debía casarme. Pero ella no le dio mucha importancia a esas cuestiones mundanas.

Y entonces llegó uno de esos momentos que cambian el resto de la vida.

Antes de despedirnos en la puerta de su despacho, me mostró dos libros que tenía en un estante de su librería, ambos escritos por Shirley MacLaine: *Todo está en el juego* y *Bailando en la luz*. Y me recomendó su lectura. Me dijo cuán hermosa era como ser humano, me informó que esa actriz de Hollywood tenía varias publicaciones en el mercado. Hojeé los libros, había visto algunas de sus películas y me agradaba como actriz, pero desconocía que también fuese escritora. Esos dos libros y un tercero: *Lo que sé de mí* iban a dar un vuelco total a mi vida. (Si encuentras su versión en película: *Lo que sé de mí*, entenderás).

Este libro (y su versión en película) detonó mi despertar espiritual

Unos días después me compré esos tres libros. Fueron los primeros libros sobre espiritualidad que leía en mi vida (con excepción de un libro de budismo a mis diecisiete años y otro sobre los monasterios del Tíbet a mis quince años). Su lectura me dejó sin aliento pues me descubrían una dimensión nueva de la vida, la percepción espiritual de la existencia. Y de la mano de una mujer inteligente, famosa y rica —que no necesitaba impresionar a nadie, era una ganadora—, entré en una nueva etapa de la vida.

En ese momento de mi vida empezó una etapa diferente a todo lo anterior, y mi investigación y pasión por la faceta espiritual estalló. Aquellos libros fueron el pistoletazo de salida, y ya no paré de aprender, un libro me llevó a otro, un tema me señalaba otro tema. Y no pude parar de explorar mi yo real. Había sido *llamado* y había respondido.

Aquella cita con Rosita cambió el resto de mi vida, no por el futuro que me vaticinó, sino por los libros que me recomendó. Sobre mi supuesto don para escribir, sinceramente ni lo creí y ni lo consideré. No tenía ningún interés en ser escritor, tan solo quería sacar adelante mi carrera profesional en el mundo de las finanzas. Aún no había cumplido los treinta años y estaba soltero. Pero la suerte estaba echada, acababa de elegir mi destino.

Después de aquella primera visita era inevitable volver a su consulta.

Rosita, 9 Septiembre de 1988

En esta ocasión ya había entre nosotros cierta confianza. Rosita te hacía sentir cómodo. Ella dijo:

«*Tú tienes un don, se te desarrollará más tarde. Me acordé muchas veces de ti. Te conozco muy bien. Tu escribirás, pues vienes de otra existencia, tienes que terminar una labor y ahora vas a terminarla.*

Te veo escribir mucho. Vas a escribir unos cuantos libros. Poco a poco harás cuatro ó cinco libros. Lo veo claro. Harás uno, después otro mejor y luego tres seguidos. Te darán mucha publicidad. Tienes muy buena guía.

Serás muy nombrado, no ahora, pero serás incluso nombrado en la televisión y todo. No ahora, en unos años. Yo seré viejecita; y puede que vengas a decírmelo.

Tendrás una gran fuerza que te vendrá sin, que tu mismo te des cuenta, e irás haciendo. Ya lo verás.

Tienes que hacer mucho en la Tierra. Lo harás con libros. Lo van a poner en tus manos. Tus guías te lo darán.

Tú tienes una fuerza que te saldrá. No tienes que hacer nada para acelerar ese proceso. Te están preparando, incluso la enfermedad es una preparación, escribirás porque tu fuiste una eminencia en otra vida. Has venido a hacer algo muy importante y puede que sea escribir. Tú solo te darás cuenta de que escribes cosas que a ti mismo te sorprenderán. Y serás muy conocido por ello, muy famoso. Ya me lo dirás entonces. Faltan unos años, pero ya puedes empezar a notar eso y entonces escribirás. Tienes un guía muy importante. Me acordé muchas veces de ti».

Siendo sincero todas aquellas revelaciones me sonaban a ciencia ficción: ¿escribir libros?, ¿salir en TV?, ¿ser muy nombrado por todo ello? Me sonaba tan bien como increíble. Lo recibí con escepticismo. Pero los años pasaron y todo eso, y mucho más, se cumplió a rajatabla. Supongo que el hecho de considerarlo como posibilidad me preparó para aceptarlo cuando llegó. O tal vez me condicionó para manifestarlo, quién sabe.

La cuestión es que Rosita llevaba razón.

Siete años después, una tarde de primavera de 1995, tomé el teléfono y llamé al director de la editorial donde meses antes había enviado mi primer manuscrito *Taller de Amor*, quería conocer su decisión al respecto de publicarlo o no. Ya no podía esperar más. A mi pregunta de si iba a publicarlo, me contestó que iba a arriesgarse, que se trataba de una prueba porque el libro le parecía precioso aunque le preocupaba que yo fuese un autor desconocido. Tenía sus dudas pero yo le acabé de convencer en esa conversación que terminamos con un «sí».

Cuando colgué, exclame un grito de felicidad, tire mi corbata por los aires. Era mi intento (editorial) treinta y tres para publicar. Así que mi alegría fue máxima después de tantos rechazos editoriales. Iba a publicar mi libro aunque yo no me consideraba ni remotamente un escritor todavía. Mi padre había escrito dos libros como arquitecto cuando yo era un niño, ahora era mi turno.

Aquella llamada telefónica, su desenlace, cambió por completo el resto de mi vida. Por lo pronto, iba a publicar mi primer libro en una prestigiosa editorial española, Ediciones Obelisco. El manuscrito *Taller de Amor* era el resumen de los apuntes que había estado tomando durante años en mi aprendizaje espiritual. Ya te conté que había estado leyendo compulsivamente y me estallaba la cabeza. Fue tal como había predicho Rosita, un material muy personal que recopilé de joven y que decidí ordenar en forma de libro para compartirlo con otros a mis treinta y cinco años.

Minutos después del «sí», brindando con champán por mi primer libro

Y aquí estoy esa tarde de primavera (disculpa mi *look* noventero), celebrando la buena noticia, apenas unos minutos después de esa llamada tan importante para mí. El «sí» del editor aún resonaba en mis oídos. Lancé mi corbata por el balcón como símbolo de liberación y cambio de vida: de empleado a escritor... pero aún tendría que esperar muchos años para cerrar esa transición. Fue un proceso largo y enriquecedor.

Mi sueño era vivir como escritor de mis libros, pasarme el día leyendo y escribiendo cerca del mar. Deseo cumplido. Tras muchos años de disciplina, esfuerzos y libros escritos, lo logré: me he situado en el top de los primeros mil autores de todo el mundo que más *royalties* ingresan de Amazon... ¿qué más se puede pedir?

En ese momento podía haber tomado otro camino en la disyuntiva de futuros, pero elegí ser autor y ya nada iba a apartarme de mi destino elegido. En mi vida identifico muchos momentos claves en los que que debo elegir entre varios caminos que se abren ante mí. Los atesoro como hitos evolutivos, el ejercicio del libre albedrío o el cumplimento del destino. O ambas cosas a la vez.

Hoy no tengo interés en saber qué deparará el futuro, la vida se despliega a cada momento en un orden perfecto. No consulto a videntes. En el pasado, en algún momento trabajé en la interpretación de los sueños porque contienen mucha información del inconsciente. Ayudado por un buen diccionario de sueños pude entender qué estaba pasando a un nivel profundo, incluso mantuve un diario de sueños para analizarlos. Pero en algún momento dejé de indagar en el futuro.

UN PASEO POR EL PASADO

Un autor al que siempre respeté es el mundialmente conocido Dr. Brian Weiss, psiquiatra de EE.UU. reconocido por practicar la hipnosis regresiva. Bajo hipnosis leve, lleva a sus pacientes a vidas anteriores con el objetivo de resolver conflictos de sus vidas presentes (reporta más de cuatro mil casos en su consulta). De todos sus libros, el que más me impactó fue: *Lazos de Amor*. Como autor *bestseller* ha contado en sus libros los casos de sus pacientes. Este extraordinario libro narra la historia real de una pareja kármica que coincidió en el despacho de Weiss, cada uno por separado, y que el doctor no se resistió en hacer coincidir.

Tuve la suerte de conocerle personalmente cuando vino a España a dar una conferencia en un congreso de espiritualidad en Barcelona, que yo tuve el honor de presentar y conducir. Pasamos un buen rato juntos charlando (en inglés y en español, pues vive en Miami) en el camerino, mientras aguardábamos su turno. Recuerdo su extraordinaria humildad y bondad, me pareció un hombre santo. Solo una persona que sabe que la muerte no es real puede vivir con tanta paz interior. Nunca se me borrará el recuerdo de su cálida expresión, inundada de paz interior, mientras me decía: «*Raimon, la muerte no existe*», al mismo tiempo que me firmaba uno de sus libros.

A finales del siglo pasado, terminé mi segunda novela «Juntos», sobre las *relaciones conscientes*. Uno de los interrogantes que afrontaba mi personaje era discernir las razones kármicas que afectaban a sus relaciones. Busqué un hipnoterapeuta regresivo en mi ciudad de Barcelona para tener esa experiencia y poder escribir con conocimiento de causa. Encontré a un tal Edmon, no doy más señas. Más tarde lo convertí en uno de los protagonistas de mi novela, *Juntos*. Sí, es una persona real, existe, aunque por la edad que le calculo ahora, ya se habrá retirado.

Escribirlo me llevó a explorar vidas pasadas

Las conclusiones fueron múltiples. Para no extenderme, descubrí que algunas relaciones son una segunda oportunidad para el amor, pues el mismo amor germina en una y otra vida. Cambia la obra, permanecen los actores, el amor siempre es el mismo. Era el momento de averiguar qué había de cierto en eso, así que tomé cartas en el asunto y resolví experimentar algunas sesiones de regresión a vidas pasadas. Como botón de muestra esta:

Edmon, mañana del 2 de agosto de 1999

Edmon era un psiquiatra muy hábil en hipnosis. No recuerdo cómo fui a parar a él. Su despacho era acogedor, decorado con buen gusto, en un estilo clásico. En seguida me di cuenta que me hallaba ante una persona muy culta y preparada. Después de mantener una charla para conocernos e intercambiar expectativas, me hizo tumbar en una cómoda camilla, y tras hacerme cerrar los ojos, dirigió el proceso de relajación con voz sugestiva.

Salió así:

«*En una vida anterior reconozco a mi primera esposa en esta vida, de quien me separé en los años noventa. En aquella otra vida, ella fue mi hija y nació con la muerte de su madre, mi esposa a la que lloré amargamente.*

Podía ver que vestíamos túnicas pero poco más, no sabía concretar la época histórica. Pero en realidad, más que ver imágenes, recibía algún flash visual. Lo que ocurrió durante la sesión es que sentía los acontecimientos. Mientras, yo estaba plenamente consciente de lo que decía iba a recodarlo. Y respondía a las preguntas de Edmon que conducía la regresión con gran habilidad. No estaba dormido en absoluto, sino despierto en un nivel profundo.

En aquella vida, al quedar viudo, mi hija (que era mi primera esposa en esta vida actual) era toda mi vida, yo vivía para ella. Afectivamente llenaba el vacío de su madre. Un día, mi hija se marchó con un hombre al que quería. Ví cómo se alejaba en el carro de él y sentí como la tristeza y la soledad me carcomían. Sentí, años después, morir en soledad, entre pergaminos en una oscura estancia iluminada con velas, triste y solo.

Es por eso que cuando mi alma la reconoció en esta vida, solo pude sentir amor de hija pero no amor de esposo; y es así que acabamos por divorciarnos con mucho cariño pero sin amor verdadero. Si en aquella vida antigua ella me abandonó, en esta vida actual fui yo quien la abandonó a ella. Se cerraba un círculo. Supongo que es así como se equilibran las acciones en una vida y en otra para llevarnos a comprender los dos lados de la balanza. Son los asuntos del karma.

Si en aquella vida pasada maldije al hombre que se la llevó lejos de mí, en esta vida deseé que mi expareja conociera a alguien que la quisiera como ella merecía. Nada podría hacerme más feliz que verla creando una familia.

Víctima y victimario intercambian papeles en vidas diferentes para comprender la totalidad, el significado de aceptar, perdonar, el amor de padre-hija y el de esposo-esposa. Con una experiencia nada más, te sientes mal; con ambas, en paz. Todo lo que ocurre tiene un significado y es necesario experimentarlo, fraccionadamente, para poder entender la totalidad.

Esta experiencia me ayudó a metabolizar la culpa y el perdón. Yo la he enseñado a aceptar el abandono, ella me enseñó a perdonar el abandono».

Soy de los que piensan que el mayor interés ha de centrarse en esta vida presente y no en las anteriores: también pienso que ver el bosque, y no solo el árbol, te permite entender, unir los puntos y comprender la inteligencia de la vida. Nada es casual y todo tiene un sentido que acaba mostrándose.

UN PASEO POR EL PRESENTE

Mi momento preferido, y el único, es el presente. La paz interior es un síntoma del presente. Cuando una persona tiene un exceso, o empacho de pasado, suele presentar síntomas de depresión, tristeza y ausencia de felicidad. Si una persona vive con un exceso, o empacho de futuro, muestra preocupación, ansiedad y estrés. Y tú, lector, ¿dónde pasas más tiempo? Analiza si tu emoción predominante es tristeza (pasado), paz (presente) o estrés (futuro)... y lo sabrás.

De joven, te interesas más por el futuro porque tienes más futuro que pasado. De mayor te interesas más por el pasado que por el futuro porque tienes más pasado que futuro. Pero hay un momento en el que dejas de viajar mentalmente al pasado y al futuro porque sientes que tu hogar está en el presente. Si acaso te preocupas por el futuro, es por el de tus hijos y tratas de ayudarles en todo lo que puedes.

Liberarte del pasado tiene una gran ventaja: sueltas cualquier sentimiento de culpa. Y liberarte del futuro tiene la virtud de disolver tus preocupaciones. Cuánta razón tenían los maestros de las sabidurías ancestrales acerca de hallar la paz en el momento presente, como por ejemplo los budistas. Otra utilidad es que ya no te pones precio, eres insobornable, ya que no aspiras a alcanzar metas ni éxitos. Para mí el mayor éxito es no necesitar tener éxito. Eso es muy liberador: nada que demostrar a nadie, nada que conseguir, nada que te quite el sueño, nada que te ate o te haga dependiente... No necesitar nada te hace muy libre y feliz.

Claro que esto tiene truco: para no necesitar el éxito tienes que haberlo conseguido antes (lo mismo ocurre con el dinero). Por eso, siempre les he recomendado a mis lectores que tengan éxito cuanto antes y que sean ricos cuanto antes, así liberarán el resto de su vida de perseguir el éxito y el dinero. No es que te canses de lo bueno, sino que ya lo has experimentado y te permites dar paso a nuevas motivaciones. Obviamente, resolver el resto de tu vida financiera cuanto antes tiene muchas ventajas porque eres libre financieramente. Y eso te quita la «etiqueta de precio» que todos llevamos colgando durante una parte de nuestra vida. Quítatela cuanto antes.

Mucha gente me dirá que no se vende por dinero pero nada más lejos de la realidad. Las personas que aceptan un empleo que no aman ponen precio a su tiempo y libertad. Las personas que hacen trabajos que no aman, lo hacen por dinero y se venden como mercenarios. Las personas que delinquen por dinero venden su alma por dinero... En el caso de los políticos, son adictos al éxito, al poder y al dinero, por eso se corrompen y traicionan a sus conciudadanos para asegurar sus logros privados. No nos sirven, se sirven de nosotros. Tienen precio; y las élites controladoras lo saben y les sobornan para infiltrarse así en las políticas de los gobiernos.

Lector, nada me haría más feliz que este mismo año: consiguieras tus metas (tu estilo de vida soñado), resolvieras el tema del dinero de por vida y te arrancaras la etiqueta del precio que cuelga de ti (si es el caso).

Cuando una persona toma posesión de sí misma, sucede que:

- Es independiente.
- No tiene agendas ocultas.
- Carece de servilismos y apegos.
- Hace solo lo que ama.
- No se mueve por dinero.
- Es dueña de su tiempo.
- No tiene precio, es insobornable.

- Se guía por sus valores.
- Se olvida del qué dirán.
- Es libre y feliz.

Si te preguntas porqué hay tan pocas personas que puedan atribuirse todos los puntos anteriores es porque no se potencian estas cualidades en los jóvenes. La razón es clara: no se busca una sociedad madura y libre, sino una sociedad alienada y sumisa. Los *controladores oscuros* saben que las personas libres no pueden someterse a su manipulación y control. Por ello promueven planes educativos que atontan a la juventud y les adoctrinan en contravalores.

La culpa es un empacho de pasado.

La preocupación es un empacho de futuro.

La paz es ayuno de cháchara mental.

Si tienes mascota, obsérvala, está entrenada para vivir en el presente, no repasa sus vivencias pasadas una y otra vez, tratando de descubrir dónde falló, ni se pregunta si mañana dispondrá de un buen plato de comida para mascotas. Vive un día a la vez, no todos de golpe, sabe que cada día trae su afán y ocupa su presente en dar y recibir cariño.

Cada día es una vida en miniatura de veinticuatro horas, con una amanecer-nacer y un anochecer-morir. Una vida cada vez, un día cada día, es la receta de la paz interior. Cuando sumas bastantes años ya no desperdicias tu tiempo esperando que llegue una fecha o ocurra algo que esperas. Disfrutas de lo que tienes a mano en este momento. Por ejemplo, esperar al viernes porque no trabajarás o saldrás de fiesta, es desperdiciar los días que anteceden. Para que aquello que esperas sea bueno, también ha de ser bueno lo anterior.

Hay gente que marca fechas en el calendario. Otros celebramos cada día, al margen de lo que suceda en él. La materia prima de la vida está hecha de momentos que no vuelven otra vez. Yo he declaro cada momento tan bueno como cualquier otro. Y cuando me acuesto, me pregunto: ¿Hoy reí?, ¿hoy aprendí?, ¿este día valió la pena?

Vive cada día sin preguntarte qué viene después y sin recordar qué vino delante. Un día obtendrás la visión del todo completo y entenderás la precisión y el orden que antes percibiste como caos. Ahora te daré una plantilla para entender *el todo*.

En un momento de mi vida, en mi crisis de los cuarenta, supe que me encontraba en un punto de inflexión en el que el cambio era necesario. Debía resolver ese momento y no el resto de mi vida como antes solía. Aprender a vivir al día es una gran lección. Cuando llegaba la noche me felicitaba por haber cumplido mi misión: vivir ese día. No podía ver el final ni lo pretendía, estaba demasiado ocupado sobreviviendo en el ahora, día a día. Lo bueno de estar en un pozo oscuro es que no tiene futuro.

En ese viaje interior que es la crisis aparece siempre un mentor que te apoya y ayuda con el cambio. En mi caso, además de tres personas que me acompañaron pacientemente, conté con un gran libro (UCDM) que fue mi mentor. Lo leía a diario para conseguir la motivación y la fe que me faltaban. Esas tres amistades y ese libro me salvaron del abismo.

Como soy escritor, reconozco la plantilla de una buena aventura: es *El viaje del héroe*, de Joseph Campbell, la hoja de ruta de la epopeya espiritual. Este esquema es también el que sigue cualquier buen novelista o guionista de cine (yo lo usé en mis novelas). Consta de doce etapas, vale la pena recordarlas aquí, porque puede que identifiques en qué punto de tu proceso de cambio estás ahora:

Mundo Común: Es el entorno donde vive el héroe o protagonista, representa su contexto normal.

El llamado a la aventura: Surge el desafío o crisis y se llama al héroe a abandonar la zona de confort y afrontar un problema.

La reticencia a la aventura: Al principio, el héroe se niega a aceptar el desafío, ya sea porque no se siente seguro o capaz.

Encuentro con el mentor: El héroe encuentra a un mentor, un sabio, un profesor, un libro, y desarrolla una fe, lo que le salva de la desesperación.

Cruce del umbral: El héroe deja su mundo común, pasa el portal que lo adentra en su aventura, y arriesgará todo.

Pruebas, aliados y enemigos: El héroe pasará por desafíos, problemas, pruebas, además de afrontar dudas. Enfrenta enemigos y se ayuda de aliados.

Acercamiento del objetivo: El héroe se acerca cada vez más a su objetivo. Es posible que todavía necesite superar desafíos y atravesar nuevos obstáculos.

El desafío más grande: El héroe se enfrenta a la mayor dificultad de su aventura. Es el momento más dramático de la historia.

Recompensa: El héroe logra pasar por la prueba, supera sus miedos y gana la recompensa por haber aceptado el desafío.

El camino de vuelta: El héroe volverá al punto de inicio, pero ahora todo es diferente. ha cambiado profundamente.

Resurrección: Enfrenta un último desafío, algo no resuelto aún cuando todo parecía haber terminado. Se cierra también con éxito.

El retorno: El héroe regresa a la normalidad, con una nueva perspectiva de la vida por las experiencias que ha vivido. Es una nueva persona y todo ha cambiado. Por suerte, nada es como antes.

Este es el «viaje del héroe». Tú eres un héroe o una heroína. Haz tu viaje al centro del corazón. Descubre quién eres, esa es la única misión de tu vida.

Si unes los puntos en tu vida, tal vez descubras que todo forma parte de una gran aventura espiritual y entonces todas tus fatigas cobren sentido para ti, entenderás la razón de ser de cada suceso y eso te permite reconciliarte con lo que es necesario. No te enfades con tus enemigos, te retaron a ser mejor. No te quejes de tus problemas, fueron regalos. No maldigas tus crisis, te transformaron.

Tú eres el héroe o la heroína de tu vida, no lo olvides, viniste aquí para protagonizar tu historia de transformación. Tendrás tu llamada a la aventura, dificultades que superar, ayuda y una recompensa final. No te irás sin experimentar un gran cambio. Disfruta de la aventura porque el final es feliz: tu autodescubrimiento.

8

RELACIONES CONSCIENTES

RELACIONES ENTRE EGO Y EGO

Decimos que las relaciones son difíciles, sin comprender que son ni más ni menos lo que hemos hecho nosotros de ellas. En realidad, nosotros somos difíciles. Nuestras mentes y nuestros egos son difíciles e intratables. A fin de cuentas, la relación justamente carece de aquello que no somos. Las relaciones se convierten un vínculo desprovisto de corazón. Tal vez las personas unen sus cuerpos pero sus almas se hallan a años luz de distancia.

Piensa por un momento en qué has convertido tu relación o de qué la has privado. Una relación solo puede carecer de aquello que tú mismo no le concediste. Si una relación con el paso del tiempo pierde significado, es porque tú no le has entregado significado. Muchas veces, se le echa la culpa al tiempo, pero el tiempo no forma parte de la relación. El tiempo es un medio y los medios no pueden formar parte del resultado.

Las relaciones no deberían hacer las vidas más difíciles y complicadas. No es ese su cometido.

La primera conclusión que saqué de esta enseñanza es: huye de las personas complicadas... ¡Suelen tener relaciones complicadas! Y la segunda enseñanza: busca una buena persona. ¡Las malas personas tienen malas relaciones! Teniéndolo en cuenta, dejé de buscar mujeres que cumplieran con una larga lista de cualidades superficiales. Atrás quedaron los tiempos en los que trataba de hacer encajar a mis futuras parejas en una plantilla. De hecho, empecé a fijarme en personas en las que antes no me fijaba... Fue un paso gigantesco en mi vida.

La receta para las relaciones logradas: menos ego, más amor. Cuando te gobierna el ego atraes a personas que tienen un ego tan disparado como el tuyo. Pero cuando haces a un lado a tu ego, dejas de ser atractivo para las personas que disfrutan con los conflictos. En las relaciones, como en todo, enfrentas una única elección y consiste en elegir entre el temor o el amor. Todas las decisiones que tomamos en la vida son esta elección.

La mayoría de relaciones se establecen entre ego y ego, las personas buscan personas que cumplan sus largas listas de exigencias. Exigen que sus relaciones les hagan felices y ese es, precisamente, el problema. Renuncian a ser felices por sí mismas; prefieren poner en manos de la otra persona todas sus expectativas de felicidad. Con la siguiente salvedad: si las cumplen, van a quererle; pero si no las cumplen, le odiarán por no hacerlo. Cuando llega el desengaño, abandonan y empieza la búsqueda de otra pareja.

El ego «cae enamorado», el espíritu se «eleva en el amor».

El Yo-ego quiere, el Yo-espíritu ama.

El que «quiere con locura», ya ha enloquecido.

No es de extrañar que las relaciones sean una experiencia de sufrimiento en la que la decepción se repite una y otra vez. ¡Cuánto dolor evitarían si fuéramos capaces de entender la experiencia! A todas mis exparejas, allí donde estén, les envío mi agradecimiento por haberme elegido entonces, ya fuese por poco o por mucho tiempo.

El romanticismo, o el amor romántico, no tiene mucho que ver con el amor real. Esta confusión es causa de un gran sufrimiento en el mundo. Las personas no se enamoran de las personas sino de las fantasías que construyen en sus mentes. El romanticismo es necesidad; y la necesidad es carencia de amor. El amor romántico se basa en adorar una identidad tan falsa como la de quien dice amar. El romanticismo es una relación entre dos desconocidos que no saben quién son.

Los más jóvenes primero se enamoran de un ideal y después salen a buscar una relación prefabricada. Buscan el subidón de la novedad, el sexo, compañía. No es amor, solo romanticismo y sexo por partes iguales. Y no suele funcionar. Cuando las cosas se ponen mal, huyen a cobijarse en otra relación condenada de antemano.

La visión romántica del amor ha hecho mucho daño a hombres y mujeres que han sido víctimas de historias fantasiosas. Hemos dado credibilidad a nuestros sueños locos de amor y así hemos convertido en pesadillas nuestros deseos de felicidad. Es hora de entender qué hemos hecho de nuestras relaciones. Todas esas canciones azucaradas de la adolescencia fueron semillas de lágrimas.

Por lo general, el ego proyecta en los demás su dolor no resuelto con la esperanza de librarse de él. A este fenómeno se le llama *proyección* y consiste en sacar «allá afuera» lo que «aquí adentro» se vuelve intolerable. A partir de este momento, cada uno representa su propia versión de una vieja historia: la ausencia de amor y la necesidad de obtenerlo. Se ensayan infinidad de relaciones; y cada vez parece y suena diferente, pero en realidad es siempre la misma historia con los personajes cambiados.

Cuando empecé una relación de forma precipitada, sin metabolizar las anteriores, pagué las consecuencias. No puedes ir de relación en relación sin hacer las paces con el pasado. En caso contrario, en la nueva relación hay *demasiada gente*, muchas sombras del pasado, dolor no resuelto y un corazón fragmentado. Aprendí a ser «nuevo» para la persona que llegaba, a llevar los deberes hechos, a ser fresco y no un amor reciclado. Cuando no has resuelto tus relaciones anteriores, el nuevo intento está condenado al fracaso.

Si no puedes amar como si tu corazón no se hubiese roto nunca antes, es que no estás listo. Si no estás dispuesto a librarte de tu pasado no puedes empezar nada con futuro.

¿Por qué razón la inconsciencia en las relaciones causa tanto sufrimiento? Lo extraño sería que una fantasía pudiera ofrecer algo distinto. Para el ego, las relaciones son difíciles y el amado también, cuando en realidad lo único difícil es su particular visión de las relaciones. ¿Se puede llamar a esto amor? Las relaciones encuentran su salvación en la disolución de los egos.

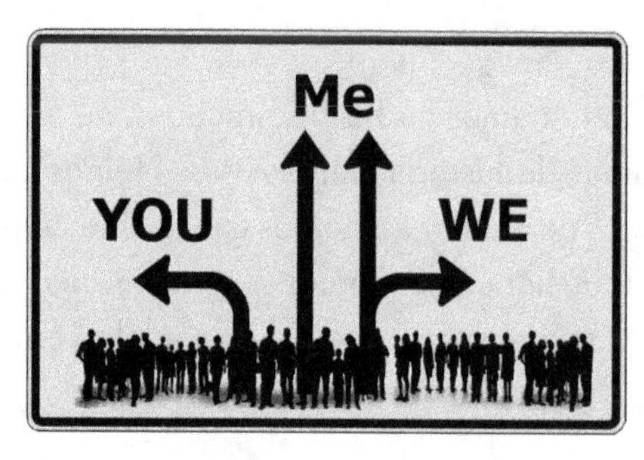

La disolución de los egos construye amores logrados

Necesitas tiempo para recomponerte, tal vez una *dieta de relaciones*, purgar tu soledad hasta el día que no necesitas a nadie; y entonces, que maravilla, estás listo. Hacer una *dieta de relaciones*, te permite, entre otras cosas, reunir recursos, recuperar energía, ordenar el espacio emocional propio y poder relacionarte desde una posición más sólida. ¿Qué mejor manera para aprender a estar en compañía que aprendiendo antes a estar solo?

En una fase del proceso, me convertí en el «rey de las citas», gestionar mi agenda era un trabajo en sí mismo. A veces me citaba con tres mujeres distintas en una semana, o dos en un mismo día. Una locura que no me conducía a nada, salvo a más frustración. Lo que yo buscaba no podía encontrase de ese modo. «Tiene que haber otra manera», concluí. Así que decidí hacer una *dieta de citas*, cambio radical de estrategia. Vamos, un *detox* de relaciones. Mi ego me estaba complicando la vida (ganaba peso, gastaba dinero) y esta no mejoraba. Cuando me pedían para salir, declinaba («¿Vamos a cenar?», me proponían. «No me gustan las cenas», contestaba. «¿Entonces un café?». A lo que espetaba: «No me gustan los cafés»). Pido desde aquí disculpas por mi rudeza, estaba herido.

Una dieta de citas es un *detox* emocional. Los agricultores lo llaman *barbecho*.

Las relaciones conscientes se establecen entre dos seres completos por sí mismos, no necesitados. Lo cual no significa que no desean estar en compañía (todos queremos amar y ser amados). Se sienten tan completos solos como acompañados. Desde esa frecuencia vibratoria, los corazones conscientes atraen corazones conscientes. Lo completo atrae lo completo (y lo incompleto a lo incompleto). La autoestima resulta muy atractiva.

Buscar es una palabra que implica carencia. No tiene sentido buscar pareja (como se busca un piso o un empleo), tan solo puede atraerse. La diferencia es grande. De poco sirve buscar a la persona ideal con tal o cual cualidad. En su lugar, ser uno mismo la persona ideal, con todas las cualidades, resulta más apropiado. Como los iguales se atraen, no pasará mucho tiempo hasta que aparezca alguien y se reconozcan el uno al otro. Las relaciones siguen la *ley de la atracción* y la de vibración entre semejantes.

Una relación es un encuentro con uno mismo reflejado en el espejo del otro. Cada vez que alguien descubre que ya no le gusta lo que ve, cambia el espejo —se busca otra pareja— sin comprender que una y otra vez verá lo mismo hasta que no cambie quien se pone delante del espejo. Cada nueva persona —y cada nueva relación— que encuentra es un reflejo de sí misma. Toda relación es la enésima oportunidad para la transformación.

Siempre las mismas sensaciones, siempre las mismas situaciones y experiencias. ¿Extraño? Para nada. Siempre atraemos al alma gemela, es decir, aquella que es simétrica. ¿Hay algo más adecuado que la «horma de tu zapato»? Si no estas completo, llegará la persona incompleta. Si no estás listo, llegará la persona que tampoco lo está. Si lloras una supuesta traición, llegará la persona que supuestamente te traicionará.

Las relaciones son el palacio de los espejos, un laberinto para que te encuentres a ti antes de crear la vida que quieres. Siempre la misma situación, la misma clase de persona, las mismas relaciones, el mismo dolor reaparece. Solo que cada vez es más agudo y la esperanza más huidiza. El mismo dolor, la misma decepción. La misma lluvia, el mismo amor, las mismas lágrimas.

Muchas personas no entienden porqué siempre atraen un mismo estereotipo de persona. Una y otra vez sus parejas parecen fotocopias. Parece que no hay nada diferente en el mundo para ellas. Y de hecho, no lo habrá hasta que no dejen de emitir la misma frecuencia de atracción.

Me pregunto, ¿qué mejor plan que convertirse en la mejor pareja posible? ¡Algo así como entrenarse para el amor! ¿Cómo atraer un ser completo no necesitado? ¡Siéndolo! Sé tú mismo la persona que deseas por pareja. La persona adecuada aparece cuando uno es adecuado. Muchas personas se preguntan qué tienen que hacer para disfrutar de una relación satisfactoria. Si se preguntasen «quiénes tienen que ser» qué fácil sería todo.

Ser amado es la segunda mejor cosa del mundo; amar es la primera. Y siempre en este orden. Cuando entregas tu relación a una comprensión espiritual, se produce un acontecimiento milagroso. Una pareja que se separa para reencontrarse, fortalece la relación; aunque es posible que perciban ese momento como la destrucción de lo conocido, les aguarda lo desconocido: una relación lograda. Eso sí es una gran aventura interior.

Las relaciones de pareja son una aventura espiritual.

Entregar las relaciones al amor supone un gran cambio. Cuando dejas de establecer planes y empiezas a dejarte guiar por el amor, sucede la magia. La divinidad es creativa, a través de las sincronicidades, para crear una nueva oportunidad en el amor.

Sanar una relación inconsciente es un auténtico acto de coraje. Significa fe en el otro. Y significa valentía al poner en una situación de precario la vieja relación con el único fin de hacerla verdadera.

Ambos partícipes son llamados a sanar la relación, y su respuesta afirmativa es suficiente para atraer la claridad que transformará la relación. Uno de los dos, se preguntará: «Pero ¿cómo puedo amarle si no hay amor?» La respuesta es amando, ya que la emoción llega después de la acción. Primero hay una causa y después viene su efecto. El comportamiento, amar, atrae el sentimiento, el amor. El amor es el resultado de amar. Esperar el amor sin amar antes es una fantasía.

Lectores entregad vuestras relaciones al amor. Ya no podréis decir: «nuestra relación», sino «la relación que fluye a través de nosotros». Ahora la relación tendrá como objetivo amar, no querer. Ya no habrá necesidad, ni manipulación, ni expectativas. Ante vosotros se abrirá un plan mucho mejor al que inicialmente estableció el ego, el plan del amor.

CURSO DE AMOR

En mi primer libro, *Taller de Amor*, escribí que vinimos a esta «escuela de almas» a aprender el significado real del amor y que para ello teníamos antes que descubrir quienes somos. Despertar y volver al amor. La vida es una escuela y el amor la materia de aprendizaje. Las relaciones de pareja son la pizarra en la que aprender. En nuestro autodescubrimiento está el descubrimiento del otro, y entonces el amor trasciende los egos. La vida es sin duda un curso de amor.

Y la vida me tenía reservado un curso de amor. Esto significa que mis relaciones de pareja iban a ser el vehículo de desarrollo personal que más me ha transformado en mi vida. ¿Por qué los asuntos de pareja y no los de dinero o salud, por ejemplo? Porque mi atención se enfocaba en este tema desde joven. Esa era mi pizarra de aprendizaje en mi escuela de vida. De modo que las crisis de pareja se sucedieron una tras otra, hasta llevarme al infierno. Para salir de él no me quedó otra opción que dinamitar todo lo que creía saber al respecto y empezar desde cero. Las canciones de amor que escuché de adolescente tenían una música muy bonita pero unas letras muy estúpidas.

La vida me tenía reservado un regalo. Un crisis de pareja, un divorcio espiritual, de enormes proporciones y consecuencias. Ante mí dos caminos: una vida convencional con seguridad económica y vivir según el estándar de la sociedad. Vamos lo que se dice morir como oruga dentro del capullo. O por el contrario, romper el capullo, transmutar en mariposa y echar a volar. Para que eso ocurriera, quien era mi pareja entonces tuvo que darme un empujón porque yo no habría dado ese doloroso paso.

Mi crisis de pareja fue el gran regalo de mi vida. Sin ese proceso alquímico, ni me habría planteado ser escritor profesional, ni compartir mis dones con el mundo, ni cruzar el umbral que separa la mente del corazón, ni decir «basta» a lo inaceptable. Mi separación fue el catalizador de un cambio en todos los órdenes y de proporciones gigantescas. Lo que vino después fue la etapa más dura, solitaria, interesante y productiva de mi vida: mi curso de amor.

Mis libros son el cuaderno de bitácora de un curso de amor

La vida sabía que era inmune al dolor físico o al sufrimiento financiero, pero no al amor. Y se empleó a fondo conmigo en ese aspecto. En mi proceso de transformación, escribí dos novelas para canalizar mis éxitos y mis fracasos: *Almas Gemelas* y su desenlace, *Juntos*, que son dos de mis libros más queridos por lo mucho de mí que hay en ellos. Fueron escritos durante ese proceso tan interesante que tumbó mi ego sobre la lona y permitió que emergiera un yo humilde y suave. Tras atravesar un largo desierto, la paz interior fue mi gran hallazgo.

Dos corazones no pueden unirse en su deseo de amarse sin que el amor se una antes a ellos por separado.

Y estas son algunas de las lecciones más importantes que he aprendido, tal vez alguna te resulte de provecho.

1) *Los hechos no son las historias que te cuentas.* Si te has separado o divorciado, el hecho es: «no estamos juntos», la historia podría ser «se arrepentirá». Otro hecho: «se enamoró de otra persona»; la historia: «me ha traicionado». Hay una gran diferencia entre lo que ha pasado realmente y lo que te cuentas. Recuerda siempre esto: las historias te harán sufrir siempre sin excepción porque son interpretaciones. Los hechos, en cambio, son objetivos. Las historias necesitan perdón, los hechos requieren aceptación. Y es más fácil aceptar que perdonar. Cuando aprendes a diferenciar entre hechos e historias, pasas a otro nivel.

2) *Las rupturas son una oportunidad para un nuevo comienzo.* Las parejas que no han roto nunca no saben lo que significa perderse, no saben cómo es la vida separados. Cuando tienes esta doble experiencia, juntos y separados, puedes saber qué situación prefieres. Por eso, una ruptura no es una experiencia negativa sino una prueba para renovar el compromiso. Si ambos deciden volver, no acuciados por la soledad sino por el amor al otro, la relación prosperará y será más fuerte. Quien crea que un enojo o un distanciamiento es fracasar, no aprovechará su lección. A veces, las parejas se separan para comprobar lo unidas que están. Y cuando el ego sucumbe, deja espacio para que entre el amor en la relación.

3) *Las personas se resisten a lo que más desean.* Niegan el amor porque temen ser dañadas. Y al negarse a amar, se dañan a sí mismas. La adicción

al «cuerpo-dolor» y la necesidad hacen que no vean las opciones de amar y ser amados que la vida presenta. El papel de víctima está tan impregnado en el ego que boicotea al amor. Si el corazón se abriese al amor, quedaría claro que todas las anteriores experiencias previas de dolor fueron necesarias. El ego no soporta ser expuesto, por lo que se defiende buscando nuevas parejas y calificando al amor de imposible. Las relaciones se convierten, entonces, en una farsa de la culpa y el ego destruirá el amor antes de que el destruido sea él mismo.

4) *El juego del abandono no significa falta de amor.* Muchos abandonan porque su miedo a perder es mayor que el deseo de amar. Abandonan para no ser abandonados. Huir de una relación significa miedo a perder la relación y ser abandonado. La relación se auto inmola antes de ser entregada al amor con todos los riesgos que ello implica. Cuando una relación pertenece al amor, los egos pierden todo poder sobre ella y eso es tan amenazante que prefieren abandonar antes que perder el control. Abandonan, no los que menos aman, sino los que más miedo tienen a no ser amados. Su rigidez, lejos de protegerles, es su debilidad. Ya saben marcharse, lo que deben aprender es a quedarse.

5) *Cuando no sabes qué esperar de una relación, llega el sufrimiento.* Si no sabes qué quieres, entonces es bueno decidir qué es lo que no quieres. Saber decir «no» a lo inaceptable es la mayor prueba de autoestima. Saber decir «no» a lo indeseado es como decir «sí» a lo deseado. Hacer tu lista de lo inaceptable marcará las líneas rojas que no vas a cruzar... ni siquiera para conseguir compañía. No todo vale para quien sabe cuánto vale. Hacer excepciones en esto se paga tarde o temprano. La relación de pareja es una opción, no una obligación; y ha de mejorar la vida, no empeorarla. Cualquier cosa no es mejor que estar solo.

6) *Entender el significado espiritual de una relación.* Esa es la clave para pasar a otro nivel (deshacerse de patrones repetitivos en las relaciones). Te ayudará hacer una lista por escrito de lo que te ha aportado tu relación con tu expareja (la lista de regalos espirituales). Una vez estés en paz, es más sencillo decir adiós sin apego y sin rencor. Aceptar las separaciones es una

lección de madurez espiritual; apreciar sus regalos, de sabiduría. Tarde o temprano llega el momento de hacer una *carta de conclusión* o despedida como cierre de la relación a nivel energético. Una cosa son los papeles en el juzgado y otra el *divorcio espiritual*. Escribe tu *carta de conclusión*, corta lazos psíquicos y estarás en condiciones de volver a empezar.

Una última lección de amor como resumen: no busques a la *persona ideal*, conviértete tú en la persona ideal que te gustaría encontrar y la atraerás desde el otro lado del mundo si es preciso. La historia adecuada con la persona adecuada aparece cuando uno se ha convertido en un ser adecuado.

Y un último consejo: sería fantástico, un día lejano, dejar esta vida estando en perfecta paz con todas las parejas que en su momento abrazaste. Entrega la paz a toda persona que un día andó, poco o mucho, a tu lado. No te vayas enojado.

9

LOS CÍRCULOS DE LAS COSECHAS

POSTALES DEL UNIVERSO

En esta conversación de café, pondré sobre la mesa un misterio aún no resuelto. Es uno de mis favoritos desde hace años, y por este motivo merece una de nuestras charlas de café dentro de este libro. Sí, me considero un «*croppie*» o fan del tema *crop circles*. Deja que te explique...

Existe un fenómeno paranormal, que se repite cada año desde hace décadas, que considero extraordinario y que es ignorado por los medios y autoridades de forma sospechosa. Es tan sorprendente que pienso que los noticieros del mundo deberían abrir su emisión con esta noticia en la cabecera del día. Pero eso no va a ocurrir puesto que ya sabemos que los medios de desinformación están manipulados y son herramientas para dormir conciencias, no para despertarlas.

Para mí, es la noticia del siglo.

Se trata de los *crop circles* o *círculos de las cosechas*. Si aún no has oído hablar de ello, te diré que son impresionantes diseños geométricos sobre plantaciones de cereal (trigo, cebada, centeno, colza, lino, maíz...). Busca imágenes en Internet.

Aparecen en la temporada de cosecha y normalmente en una zona de la campiña inglesa. Si no sabes nada al respecto, no deberías extrañarte ya que existe una campaña para desacreditarlos, como te decía. Una de las formas de conseguirlo es creando círculos falsificados, incluso sobornando a personas que asuman su autoría como ha sido el caso. Recuerda que el descrédito se consigue mezclando la verdad con falsedades, tal como ocurre con el fenómeno OVNI.

Ni que decir tiene que los estudiosos serios de este fenómeno han sido desprestigiados y difamados por parte de los medios y del *establishment*. Ya sabes, lo que no interesa que se sepa simplemente no es verdad. Pero hay mucha bibliografía y buena. Cada año se edita un libro con los círculos de esa temporada.

Sé que algún día se desvelará su secreto aún no revelado; mientras, disfruto simplemente mirándolos. Para que sepas de qué hablamos, observa esta imagen. Tengo varios círculos favoritos, este es uno:

Milk Hill crop circle (409 círculos en 45.238 m2)
14/08/2001 Fotografía Frank Laumen

Milk Hill crop circle en esquema (por Don Cloud)

Este *crop circle* se conoce (todos reciben un nombre) como *6 Julia Set Spiral* por sus seis brazos. Representa una formulación matemática que produce imágenes fractales y está formado ni más ni menos por cuatrocientos nueve círculos.

¿Se han identificado falsificaciones? Algunos círculos lo son. Resulta fácil identificarlos porque tienen un corte irregular, un mal acabado, no son muy grandes y los tallos de cereal aparecen aplastados (en los verdaderos solo están tumbados y sin dañar).

Los falsificadores seguramente tratan de confundir o buscan demostrar que la mano humana puede estar detrás del fenómeno. No lo está. Te bastará buscar *crop circles* en la sección de imágenes de tu buscador de Internet y entenderás que no es posible hacer eso en unas horas apenas, a oscuras, y sin dejar huellas ni ser descubierto.

Como sé que el tema despierta dudas, empecemos con una batería de argumentos en favor de su veracidad. Tendrás que sacar tus propias opiniones. No esperes pruebas, tendrás que conformarte con indicios. Veámoslos:

- Los círculos aparecen en segundos o minutos; «de la noche a la mañana».
- Algunos son inmensos con cientos de metros de envergadura y cientos de elementos.
- Sus proporciones son perfectas, sus líneas de trazo elegantes, sin errores.
- No aparecen huellas de personas o máquinas a su alrededor.
- Los tallos no están aplastados o pisados, solo doblados.
- El análisis de muestras de la tierra confirman una composición alterada.
- Después de la cosecha, el suelo queda marcado por el diseño.
- En años siguientes, el cultivo crece con aspecto diferente.
- Muchas personas que los han visitado reportan sensaciones diversas.
- Crecen en complejidad; representan diseños complejos.
- Lo nodos de los tallos se tumban en ángulo recto y se dilatan en un 200%
- No dañan ni perjudican los tallos y granos de las cosechas.

Aparecen cada temporada, cuando la cosecha de grano está crecida, lo que en el sur de Inglaterra (zona de mayores eventos) sucede en los meses de mayo, junio, julio, agosto y hasta septiembre. ¿Desde cuándo ocurre este fenómeno? Desde hace décadas, de forma intensiva, cada verano, sin falta.

Aunque han aparecido círculos en muchas partes del mundo, más del 90% aparecen en Inglaterra, en la campiña inglesa, y en especial en el antiguo reino de Wessex (condados de Wiltshire, Hampshire, Somerset, West Sussex) pues parece ser que el bajo campo magnético de la zona convierte la superficie en buena conductora de electricidad. Muchos círculos aparecen cerca de asentamientos neolíticos, como por ejemplo Stonehenge. Pero hay que tener en cuenta que han aparecido también (por orden de frecuencia) en: Holanda, Italia, Australia, Estados Unidos, Canadá, Alemania...

En efecto, se ha estudiado el subsuelo de la zona de Wessex y destaca la presencia de creta (alto en cuarzo que es materia piezoeléctrica por su alto contenido en magnetita) y acuíferos subterráneos que, combinados, convierten el suelo en una zona magnética muy particular.

Sea por las características del suelo, que son hiperconductivas, o bien sea porque así lo eligieron sus creadores, este fenómeno se concentra en el sur de Inglaterra. No creo que la ubicación sea relevante. El hecho de que se concentre en un lugar especifico del planeta, facilita que enfoquemos la atención en este fenómeno y facilita su estudio. Simplemente usan esa zona como una inmensa pizarra donde escribir mensajes en el leguaje de la geometría (euclidiana, fractal, sagrada...).

Las personas que han visitado estas formaciones reportan diferentes efectos anómalos en sus teléfonos móviles y sus cámaras de fotografiar. En algunos casos, la cobertura cae al entrar en un círculo y se restaura al salir; en otros puntuales, la batería del móvil se descargó por completo y en otro casos se recibieron llamadas accidentales. Las cámaras de fotos pueden desactivarse o no en función de su sistema de alimentación eléctrica. Algunos mandos a distancia y tarjetas de crédito han quedado desactivados... La casuística es muy amplia y no hay un patrón que se repita en todas las formaciones. Mención aparte merecen las frecuentes averías de las máquinas cosechadoras cuando cruzan los campos. Esto y la invasión de sus cosechas por extraños tiene a los agricultores de la zona en pie de guerra.

A lo sumo, podemos concluir que se producen oscilaciones electromagnéticas dentro de los círculos.

Otro efecto reportado ampliamente son las sensaciones físicas como: dolor de cabeza, nauseas, dolor de garganta, cansancio, somnolencia, desorientación, sabor metálico... al entrar en un círculo u horas después de hacerlo. Hay otras consecuencias negativas documentadas, pero también es cierto que hay muchos reportes de mejoras en dolencias severas que desafortunadamente no se han mantenido en el tiempo, sino solo por unos días.

Fue en la década de los años setenta del siglo pasado cuando el fenómeno empezó en serio. En las primeras décadas, aparecían esquemas muy simples. A finales de los 80, poco a poco, verano a verano, fueron ganando en complejidad. Desde 1998 los diseños se han ido haciendo más y más complejos, pasando de líneas y puntos o círculos simples, a enormes diseños de compleja geometría fractal que aparecen en segundos sin intervención visible de fuerza o acción alguna.

Cuando mencioné que los círculos han crecido en complejidad, creo que esto se debe a un proceso progresivo que nos enseña, de menos a más, para comprender mensajes más y más complejos. Cada patrón geométrico en los campos de cultivo es una nueva lección, un paso adelante y quién puede saber a dónde nos llevará.

Lo primero que hay que preguntarse: «¿Por qué dibujos?». Lo visual es nuestra forma de comunicación favorita. Si lo vemos, lo creemos aunque no sepamos su significado. Nos podemos poner de acuerdo en que la geometría es inteligencia. Un elemento geométrico puede ser una «letra» apenas en el vocabulario de la divinidad. Y una composición geométrica ser una «palabra», o un concepto que tomaría miles de palabras explicarlo. Un concepto contiene más información que una palabra. Los *glifos* pueden ser enciclopedias de información. La geometría sagrada es un leguaje universal.

Ademas de avanzar en complejidad, en algunas temporadas se aprecia un hilo temático común; por ejemplo: espirales, copos de nieve, tridimensionalidad, ciencia, astronomía, química, cultura maya, misticismo, sol y planetas, matemáticas... en fin, parecen colecciones temáticas. Asignaturas.

No dejan de asombrarme, me sugieren mensajes del cosmos o «postales del universo» como mensajes encriptados. A veces, son tan grandes que algunos tienen varios cientos de metros de longitud; y deben verse desde el cielo para poder abarcarlos en su totalidad. En los primeros años, se fotografiaban desde el aire desde avionetas, hoy en día se usan más los drones.

Que los círculos pasaran a otro nivel en 1998 no tiene nada de extraño, pues como dije, fue entonces cuando el centro de la galaxia y nuestro sistema solar se alinearon y eso implicó «bailar un nuevo son» de frecuencias más altas. En agosto de 1998 se produjeron cambios en el campo magnético y en la rotación del planeta.

No fue aquel un verano cualquiera, tampoco lo fue para mí. Recuerdo que el verano de 1998 viajé por Guatemala y México durante un mes (el que ha sido el viaje más impactante de mi vida) y pude notar cómo se «me llamaba a filas». Era el momento adecuado y el lugar adecuado: siguiendo la ruta Maya. Todo el viaje fue un sinfín de sensaciones intuitivas para activar la conexión espiritual. En mi vida personal estaba en un callejón sin salida y era hora de resolver.

Al volver a casa, todo se aceleró y llegó mi «noche oscura del alma». Un punto de inflexión en mi vida que supuso una prueba espiritual de grandes proporciones para despertar al Yo superior. Un proceso que se tomó años.

La ruta por los asentamientos maya

Nada más regresar de mi experiencia en México-Guatemala-Belice, llegó a mis manos un libro sobre *crop circles*, el primero. Y quedé extasiado ante su belleza. Me cautivó, pasé de las estelas de piedra mayas a los diseños en los tallos. La experiencia maya y su vínculo con los «antiguos astronautas» y el fenómeno de los círculos (¿origen extraterrestre?) me expulsaron del mundo convencional en el que vivía. Empecé a mirar a las estrellas entrada la noche.

Era hora de confirmar el compromiso que diez años antes había hecho al responder al llamado espiritual, pero ahora se trataba de dar un paso mucho más comprometido: cruzar el umbral. En dos años preparé la voladura controlada de toda mi vida anterior; los dos siguientes pasé «la noche oscura del alma», para cuando se hizo la luz, yo era otro.

Volviendo a los círculos de las cosechas o *crop circles*, podemos deducir:

- Son patrones de códigos geométricos, el lenguaje universal.
- Se hacen en segundos a pesar de su tamaño y complejidad.
- Inspiran la apertura de conciencia a la humanidad.
- Contienen códigos y conocimiento avanzado.
- Son una huella energética.
- Crean alteraciones magnéticas en la zona.
- Reaccionan interactuando con las mentes de humanos.
- Pueden ser el prólogo de un contacto directo con sus creadores.

¿Cómo aparecen? De pronto. Numerosos testimonios apuntan que el canto de los pájaros cesa, se hace el silencio, a veces se ven orbes de luces sobrevolando los campos, otras se oye un zumbido o chisporroteo eléctrico, y siempre, de pronto, los tallos de la cosecha se agitan y colapsan entrecruzados creando diseños increíbles. Normalmente las formaciones se hacen de noche o en las primeras horas de la madrugada.

Parecen ser el resultado de una frecuencia de luz-sonido que interactúa a su vez con el campo electromagnético de la Tierra. La alta conductividad de la zona del sur de Inglaterra hace el resto. ¿La causa? No creo que procedan de seres que nos vistan con sus naves, sino de seres incorpóreos desde otras dimensiones.

Si te sorprende que el sonido sea capaz de crear formas, recuerda la cimática: las ondas sonoras crean patrones geométricos únicos, simétricos, bellos. El sonido son formas geométricas. Pregúntate de dónde proviene el concepto de los mandalas budistas. Exacto, de sonidos esenciales, como por ejemplo: «OM», el sonido cósmico fundamental. Las frecuencias de vibración son el ADN del universo, pueden manifestarse como: sonido, forma, luz, color... son patrones de información vibrantes.

¿Quién hace esto? Parece que nadie de aquí ni ninguna tecnología convencional conocida. Sus autores podrían ser seres que actúan desde diferentes dimensiones. La hipótesis sobre su autoría es coincidente para varios autores que estudian el fenómeno: origen extraterrestre.

Desde luego, la rapidez con que aparecen no permiten pensar en la mano del hombre a no ser que se esté usando una tecnología no desclasificada. La perfección de los trazos, medidas, tamaños enormes y los tallos no aplastados... invitan a la hipótesis de una tecnología sofisticada y no mecánica.

Tal vez, seres de otros mundos, cansados de aparecer en los cielos con sus naves, han decidido dejar muestras de su existencia impresas en el suelo (que es donde ponemos la atención) y dejar así una señal tangible y duradera de su existencia.

Un avistamiento OVNI siempre genera dudas: lo vio nada más que uno, entonces es su palabra contra la de los demás. Tomó unas imágenes borrosas y desenfocadas, entonces será cualquier cosa menos una nave... Con un *crop circle* es diferente: deja un rastro perdurable (hasta la siega), puede ser visto por muchos a la vez y es fotografiado con detenimiento por quien quiera.

Tal vez, seres extradimensionales utilicen los campos de cultivo como una inmensa pizarra donde enseñarnos lo mucho que conocen de nuestra ciencia y tecnología. O están escribiendo un libro con símbolos que no deja de ponerse más y más interesante a medida que avanza. O simplemente es un paso previo antes de darse a conocer de forma directa en un encuentro cara a cara.

Los círculos son patrones de luz atrapados en un diseño.

La luz, el sonido y la geometría son la materia prima de los círculos de las cosechas. Son el lenguaje de la inteligencia cósmica y se materializan en la 3D en forma de preciosos *crop circles*. Para mí, estas señales no son imágenes en 2D, sino esferas en 3D pero con una huella bidimensional.

Creo que este fenómeno está creando un cambio evolutivo en toda la humanidad, que aun sin ver o conocer los *crop circles,* recibe su pulso vibracional a través del efecto campana que el planeta Tierra dispensa a todos sus habitantes. Solo con mirarlo se recibe el pulso visual que codifica información directa al inconsciente. Y solo con estar en el planeta, todos recibimos su impulso de transformación.

La *geometría sagrada* es un lenguaje simbólico por sí misma.

O quizás, en base a la *Teoría del centésimo mono*, bastará que unos pocos (masa crítica) entren en contacto con los círculos para que el resto de la especie humana nos beneficiemos de sus mensajes encriptados.

Algunos estudiosos del tema —los hay muy serios— afirman que los círculos se forman a través de la proyección geométrica que imprime un haz de fotones. Dicen que cada forma geométrica responde a un patrón vibratorio diferente, de mayor o menor frecuencia. Así es como desciende la luz a la forma. La luz de 8D pasa a sonido en 7D y de allí a geometría en 6D y su impresión en los cultivos ocurre en la 3D que es lo que vemos como círculos de las cosechas.

En realidad, creo que son esferas en 3D. Por lo que sería más oportuno llamarles las «esferas de las cosechas» que los «círculos de las cosechas», al menos en esa línea avanzan las últimas investigaciones. Otra clave puede ser considerar su origen en otro plano dimensional y no como una ejecución mecánica en este plano.

Recuerda ahora que: Frecuencia <=> Geometría

Las esferas 3D podrían ser la simplificación de algo mucho más complejo. Vemos una señal circular donde hay una impronta esférica. De hecho, es en su nube energética 3D donde se sumergen las personas que los visitan y reciben sus efectos.

Manifestaciones en 2D desde dimensiones superiores

Los *crop circles* pueden ser las cartas de presentación de seres de otros mundos/dimensiones que desean presentarse a la humanidad y lo hacen a través de un «libro ilustrado» como enseñamos nosotros a los niños pequeños: puras imágenes, nada de texto. Si yo esperase una comunicación extraterrestre nunca lo haría de un mensaje escrito en un idioma que no podría entender, sino que sería un mensaje visual universal. Algo parecido hicimos los humanos al imprimir en la sonda Voyager un jeroglífico con información sobre la humanidad, mensajes que eran puras imágenes.

Es por eso que cuando aparece un nuevo círculo, no me preocupa averiguar qué significa, eso queda para los matemáticos y científicos que quieran prestarle atención. Yo lo observo con apertura y permito que cree una huella en mí, una impronta energética inconsciente. No trato de leerlo, sino de *sentirlo.*

Reconozco que no he estado en la zona de *crop circles*, ni tampoco sé a qué o quién se deben. Esa investigación queda para los estudiosos del fenómeno. Pero disponemos del testimonio gráfico y las muchas investigaciones realizadas. No es algo que necesite experimentar sino aceptar como real. Cada año aguardo la temporada y sigo por Internet las nuevas formaciones día a día. Las considero un regalo del cosmos. Y leo los diferentes libros que se publican sobre el tema. La única explicación que puedo ofrecerte es: algo hace, no sabemos qué, y deja una huella. Y alguna interpretaciones más:

- Son mensajes del cosmos para preparar nuestro cambio (ascensión).
- Se producen en base a frecuencias (no vivibles, no audibles).
- Son mensajes simbólicos, visuales, en lenguaje universal (geometría).
- Son patrones o sellos energéticos que producen un cambio pasivo (inconsciente).
- Se dirigen a todo el mundo, no solo a «contactados».

Hemos vivido desvinculados del cosmos, creyéndonos los reyes del universo pero eso va a acabar pronto. Es hora de dejar a atrás nuestro insano orgullo. Toca desclasificar la mucha información retenida y sacar a la luz todo lo que se sabe de este fenómeno y muchos otros relacionados. Somos una especie madura para poder asimilarlo. Es tiempo de estudiar en serio los *crop circles* o *esferas de transformación*. Basta de secretismo pueril.

Basta de hipocresía. Me parece contradictorio que por un lado, el proyecto SETI enviara señales al espacio para rastrear supuestas señales provenientes del cosmos, con una basta red de telescopios y ordenadores conectados, cuando ya se ha establecido esa comunicación (aunque no de la manera que esperábamos) a través de los círculos de las cosechas. ¿No es sospechoso que la ciencia oficial ignore los *crop circles*? No nos protegen, no te engañes, más bien nos aíslan del conocimiento que nos haría poderosos e incontrolables.

Para mí, este extraordinario fenómeno no es más que un principio para establecer contactos formales y directos en el futuro. Los fenómenos inexplicables y los avistamientos masivos y crecientes van a forzar la desclasificación de material secreto por parte de los gobiernos (y sus ejércitos y servicios secretos) y del advenimiento de los primeros contactos directos, cara a cara, entre seres extraterrestres y humanos. Creo que este será el gran tema de esta década.

10

OVNILOGÍA

PORTALES ESTELARES

Pidamos un último café, y que nos sirvan una pieza de chocolate, quiero plantearte ciertos *secretos revelados* antes de acabar esta ronda de conversaciones. Es hora de hablar de la ufología, o en español, ovnilogía. Un secreto que no tardará en ser revelado a la humanidad.

No sé nada de astronomía, ni astrología, ni cosmología... pero puedo especular con el fin de ampliar paradigmas. Pienso que el cosmos es una entidad holística, así como las células del cuerpo están comunicadas entre sí, y saben en todo momento qué ocurre en otras partes del organismo, del mismo modo las estrellas son las células del cuerpo universo y están en contacto entre sí.

El espacio sideral es un campo unificado, no un espacio vacío rellenado con planetas y estrellas separadas sin ningún vínculo entre ellas. Esa visión es muy mecanicista. ¡Eso es pensamiento antidiluviano! En un universo cuántico, todo es consciente de las partes y está conectado por *portales estelares* que comunican el universo y ¡el multiverso!

Siguen la misma estructura del cerebro y sus conexiones sinápticas entre las neuronas compartiendo impulsos de luz. Tengo otra metáfora para ti: compara cada uno de los universos con burbujas de una esponja (multiverso). Esta estructura tiene miles o millones de micro burbujas, siendo cada una de ellas un universo diferente. Todos los universos, juntos y afectándose mutuamente, conformarían un multiverso cuántico.

A la publicación de este libro, se está anunciando en medios que los astrónomos han descubierto una red gravitacional de *superautopistas* que atraviesa el Sistema Solar y que podría acelerar la velocidad de los viajes espaciales en el futuro. Investigadores de la Universidad de California en San Diego observaron las órbitas de millones de cuerpos en nuestro Sistema Solar y calcularon cómo encajan e interactúan. Esta *vías rápidas* permiten que los objetos con masa se muevan a través del espacio mucho más rápido de lo que se creía posible hasta la fecha. Es fácil entender que tratar de alcanzar el cosmos con los antidiluvianos cohetes de motor a propulsión no tiene ningún sentido.

Un día, las agencias espaciales podrán usar estas *superautopistas* gravitacionales para acelerar la velocidad de viaje desde la Tierra a partes distantes del Sistema Solar y más allá, pero los científicos aún no pueden explicar cómo funcionaría o cuánto más rápidos serían los viajes. No creo que vayan a trabajar en viajes lineales sino en viajes multidimensionales.

Si repasas los créditos de este libro, comprobarás la fecha de la publicación de este libro. Publiqué este libro precisamente el 21 del 12 de 2020 por una razón: es el inicio de la era astrológica de Acuario. Se caracteriza por la expansión de la conciencia y la comunicación de la verdad. Es el fin de la oscuridad espiritual y el principio de la expansión de la luz interior.

El 21/12 de cada año es el solsticio de invierno, que significa que la oscuridad decae y la luz emerge. El día deja de acortarse y empieza a alargarse. Es un cambio de tendencia, un punto de inflexión. Nuestras fiestas navideñas son la adaptación de anteriores fiestas paganas con un significado especial: las *Saturnales* en la que se celebraba el solsticio solar de diciembre que significaba el *regreso a la luz*.

Pero además del solsticio, en el año 2020, el 21 de diciembre se produce una alineación especial: la gran conjunción armónica que es un portal para la llegada de energías de alta frecuencia al planeta. Las elevadas frecuencias servirán para alcanzar niveles de conciencia más elevados. Los astrólogos saben que la gran conjunción del 2020 (Júpiter y Saturno, los dos gigantes, se alinean con precisión) y que es algo que tiene lugar cada veinte años (esta vez con una separación de solo un décimo de grado, la última vez así fue en 1226). Lo que aparece en el cielo es un punto radiante de intensa (doble) luz, lo que se identifica con la *estrella de Belén* o la *estrella de Navidad*. ¿Entiendes el significado profundo?

Todo ello da pie a un cambio de era, y en esta ocasión el cambio es mayor debido a que hasta ahora esa gran conjunción armónica tuvo lugar en «signos de tierra», pero esta vez se alinearán en el «signo de aire» de Acuario, inicio de la era de Acuario.

Es un cambio (solsticio), sobre otro cambio (gran conjunción armónica), sobre otro cambio (era astrológica). ¡Es triple!

La gran conjunción en un signo de aire nos conduce a un cambio de proporciones enormes como especie. La gran conjunción en Acuario, demás, nos impulsa hacia la energía propia de la Era de Acuario, un despertar planetario decisivo para la humanidad.

Abandonamos la Era de Piscis y entramos en la Era de Acuario, aunque la astrología utiliza fechas, lo entiendo como un proceso que ya empezó. Para quien piense que eso no le afecta que tenga presente el *efecto mariposa*. Un antiguo proverbio chino dice: «El leve aleteo de las alas de una mariposa se puede sentir al otro lado del mundo». Este sabio proverbio posee una visión holística, en la que todos los acontecimientos están relacionados y se influyen de forma ampliada. Así que sí, te afecta y mucho. Si un simple aleteo importa, imagina qué pasará cuando el planeta que habitas inicia un nuevo baile cósmico.

Para que te hagas una idea del cambio que afrontamos, en la grandes conjunciones pasadas (últimos 200 años) éstas nos empujaron hacia: el ego, la separación, la polaridad, la ambición y la dominación de los poderosos... ¿Te suena? Pero esta pesadilla termina porque los signos de aire nos traen una mentalidad solidaria, de conexión, compasiva, con niveles más altos de conciencia y sin separación. Esto significa el final de deudas kármicas y la puesta a cero del contador del tiempo («el tiempo del no tiempo» ya predicho por los mayas). No viene un futuro de color de rosa de hoy para mañana, pero al aumentar la conciencia global, progresivamente interpretaremos la vida de otra manera y la consciencia ascenderá grado a grado.

Tampoco es un cambio igual para todos, habrá quienes se sumen y quienes no lo hagan, es nuestra elección escoger más luz o más oscuridad, según la Ley del libre albedrío que caracteriza a este planeta. De ahí la ascensión de la 3D a la 5D (percepción material o espiritual de la vida). Dos trenes que parten hacia destinos distintos y que implican dos líneas de tiempo diferentes.

Sabemos poco del espacio y estamos lejos de viajar a través de él de una forma inteligente. Cuando veo un cohete a propulsión, me sonrojo. Los conceptos de propulsión a reacción (cohetes) y de viajes en el espacio-tiempo lineales me parecen obsoletos. No creo que sea así cómo otras civilizaciones planetarias hacen largas distancias y llegan hasta la Tierra. Creo que la antigravedad y el uso de *portales estelares* son el secreto no revelado de su tecnología. Una nave que consume combustible no es viable para cubrir grandes distancias entre puntos separados por años luz. Creo que hay otras opciones más inteligentes que pasarían por la desmaterialización y proyección a otro punto del cosmos, los portales estelares y la propulsión antigravedad. Y lo que no podemos ni imaginar.

La referencia no debe ser «la velocidad de la luz» (lo cual es incluso lento), sino ¡la velocidad del pensamiento! Los extraterrestres pueden llegar aquí porque dominan los «viajes transdimensionales» (no los espaciales) y dirigen sus naves con el pensamiento. El cosmos está interconectado por superautopistas y nuestro reto es aprender a acceder a ellas y usarlas. Lo que nos llevará al cosmos es una super inteligencia, no una super tecnología en cohetes antidiluvianos.

Me temo que estamos utilizando bicicletas para conquistar el espacio, al menos es lo que usan de «cara a la galería» (quién sabe si los humanos ya usan naves antigravedad). Tal vez, entre bambalinas, algunos gobiernos ya estén utilizado naves con tecnologías secretas.

Aspirar a viajar a la «velocidad de la luz» es pensar en pequeño; aun consiguiéndolo, sería imposible llegar a alguna parte interesante del espacio más cercano en un plazo razonable. No es más velocidad lo que nos llevará más lejos, sino trascender el paradigma espacio-tiempo a través de portales interestelares con los que está interconectado todo el universo. Imagino que hay diferentes clases de portales pero uno de ellos son ¡las propias estrellas!

Las estrellas son tan masivas que pueden deformar el espacio-tiempo de manera que crean portales interdimensionales entre la energía y la materia. Dicho de otra forma, los soles están conectados por auténticas «autopistas» cósmicas. Actúan como puertas, corredores o portales. Las civilizaciones avanzadas extraterrenas no viajan a la velocidad de la luz, o a una superior, sino que ¡entran en una estrella y salen por otra!, ya sea en otro cúmulo o en otra galaxia. Pueden desayunar en la galaxia de Andrómeda, almorzar en la galaxia Vía Láctea, y cenar en la galaxia del Molinete, ¡y volver a casa para dormir! Si tenemos en cuenta que la Vía Láctea es solo una de las diez mil millones de galaxias estimadas en este universo, si además consideramos el multiverso... se nos acaban los números para contarlas.

No podemos entender el universo si lo contemplamos con una mente mecanicista y tridimensional. La realidad no es ni una cosa ni la otra.

Hay todo un misterio no revelado con el Sol. ¿Por qué incontables civilizaciones terrestres han adorado el Sol? ¿Porque es fuente de vida? Sospecho que fue más bien porque sabían que el Sol —y las estrellas— son las puertas estelares por donde llegan los «dioses de las estrellas» a nuestro planeta. No hace falta recordar que entre los mitos de tantísimas antiguas tradiciones siempre aparecen los seres divinos bajados del cielo en sus carrozas voladoras. Que los humanos hemos sido visitados por infinidad de razas (los «antiguos astronautas») y seguimos siéndolo (avistamientos OVNI masivos), es algo fuera de toda discusión. No es un tema sobre el que creer o no, sino sobre el que estar bien informado o no.

Nuestra estrella, el Sol, también es un portal estelar que está conectado al universo. Como todo portal estelar, permite viajar de una galaxia a otra, entrar en un sol y salir en otro, visitar sus planetas y regresar. Supongo que algo así como *agujeros de gusano*. Y esta tecnología de portal estelar ni siquiera sería la más sofisticada para algunas razas más avanzadas que podrían crear sus propios *agujeros de gusano* a voluntad sin recurrir a los astros, los cuales no están exentos de riesgos.

Las agencias gubernamentales como la NASA se han esmerado en ocultar las imágenes de extraños objetos no identificados (y de gran tamaño) navegando cerca de nuestro Sol. Eso está ocurriendo pero no te lo contarán.

En nuestro planeta, existen los portales multidimensionales, lugares de poder, vórtices, que permiten el viaje a otras dimensiones. Algunas guerras, sobre todo en Oriente Medio, están justificadas por el control de estos portales (en Oriente Medio abundan los portales por motivos históricos). Otras guerras se justifican para hacerse con vestigios históricos que revelan una historia que no nos han contado. Después, de «cara a la galería», te hablarán de terrorismo, armas de destrucción masiva o de pozos de petróleo, pero son solo excusas que ocultan otros fines ocultos más trascendentales.

Las guerras tienen además otro fin terrorífico y es que las guerras son para las élites oscuras (que las planifican, organizan y financian) un ritual de sacrificio humano a gran escala. Es sangre y dolor que ofrecen a entidades de otras dimensiones que adoran. Las guerras son una ofrenda de sacrificios humanos (tal como se ha hecho a lo largo de la historia). Adicionalmente, las guerras crean un trauma en el colectivo humano que les ayudará a domesticar a sucesivas generaciones con el miedo.

Los portales son autovías de acceso a este planeta por otras inteligencias.

Volviendo a los portales estelares, encontré información que estima en el Oriente Medio más de veinticinco *portales interdimensionales*, además de muchos otros en otros puntos del planeta: Sedona, México, Sinaí, Tíbet, Stonehenge, Bermudas, Pascua, Nazca, América central, Titicaca, Shasta... Su uso y percepción está más allá de nuestro conocimiento y tecnología (pero no de los visitantes extraterrenos). *Portales estelares* (a otros sistemas solares y galaxias) y *portales interdimensionales* (a otros planos)... lo dicho: hay otros mundos y están en este.

En Sedona, Arizona, un vórtice de poder

Tal vez Sedona, Arizona, es un buen lugar para tener una experiencia de vórtice debido a la composición del suelo en óxido de hierro (tierra rojiza) lo que la hace híperconductiva. Te hablo de una pequeña ciudad en medio del desierto de Arizona, antiguamente habitado por los indios Hopi, y que hoy vive del boom comercial *new age*. Vale la pena visitarla.

Su entorno natural es espectacular. No hace falta encaramarse a lo más alto de las colinas, que se consideran puntos de acupuntura o vórtices, para sentir su energía radiante. Nada más llegar a la base de las colinas ya se percibe la energía que te resetea el campo vibratorio. Basta con pasar una hora en ese entorno de poder para recibir los beneficios de un *ajuste energético*.

Frecuentar sitios de poder, vórtices, renueva la impronta energética personal, elevas la calidad de tu energía y con ello la calidad de tu vida mejora también. He comprobado como dormir una sola noche en un emplazamiento vórtice, me recarga de una forma extraordinaria. Es una sensación maravillosa que te acerca al estado original que nunca deberíamos haber abandonado. Si la gente supiera que el ámbito no visible determina por completo el ámbito visible, no perderían el tiempo buscando en el mundo la solución a sus problemas, ¡empezarían a buscarlas en su interior!

Estando allí, una mañana lluviosa, me encaramé a lo alto de una colina y oré para que me envolviera la luz del conocimiento esencial. La experiencia que guardo de ese enclave energético fue la reconexión con mi Yo superior. Pregunté: «¿Hablarás conmigo?». Pedí: «Luz, protégeme y nútreme, inspira mis libros y mis pasos». Y eso recibí porque, a pesar de ser un día un poco frío, sentí calor y mucha luz a mi alrededor. Podía sentir la compañía de infinidad de seres, una conciencia grupal, que habitaron antes esos parajes, personas conectadas con la Madre Tierra. Su devoción a lo sagrado estaba allí y yo podía sentirlo. Creo que mis guías personales dieron pleno significado al viaje hasta ese lugar del lejano oeste americano, el desierto de Arizona.

Establecer conexión con el Yo superior es el principio de una vida realizada. Tu cuerpo energético es un portal entre el espíritu y la materia.

Cuando evolucionas espiritualmente, facilitas el camino a otras personas que vienen detrás de ti. Abres una puerta a la luz para otros. Inspiras y lideras desde el anonimato, afectas a otras muchas personas que no has de conocer. Cuando llega luz al planeta a través de ti, esa luz brillará también para todos. Cuando refuerzas un paradigma, lo pones a disposición de más y más personas que lo adoptarán como propio. Así compartiendo es como se refuerzan las ideas y los ideales. Puedes cambiar el mundo desde tu casa porque todos somos vórtices conectados a la Fuente.

Volvamos a nuestro Sol.

No creo que el Sol sea una bola de gases incandescentes, ni una «bomba termonuclear». Ese modelo de «central nuclear» que irradia luz y calor me parece superado. En mi intuición es un *portal interestelar*. Es la embajada del centro de la galaxia en nuestro sistema planetario. Su energía no se origina en su masa, su energía procede del campo unificado y también del intercambio de energía entre estrellas. La ciencia percibe el Sol como un cuerpo aislado, que emite energía de su propia combustión y que se apagará cuando se consuma. Creo que es algo mucho más complejo.

Entiendo el Sol como plasma electromagnético que proviene de muchas otras estrellas con las que está asociado en la galaxia. La energía electromagnética que emite se percibe como radiación, en forma de calor, magnetismo y luz; pero eso solo es la descodificación que hacemos nosotros mediante nuestra tecnología y nuestro sistema nervioso. Estamos interpretando al Sol, lo explicamos según lo percibimos pero no según lo que es (o no todo lo que es). Creo que el Sol es un portal que conecta el centro de la galaxia con nuestro sistema planetario. No es una bombilla, o una bomba termonuclear. Es, como dije, el embajador de la Luz de la que formamos parte.

El Sol, nuestro portal, es el recibidor de nuestro sistema solar. Está conectado con otras estrellas de las cuales recibe información. Cuando el centro de la galaxia (Vía Láctea) se alinea, a través de otras estrellas, con nuestro Sol, adivina qué ocurre: cambian las frecuencias del planeta y las de sus habitantes, entonces ascendemos a una nueva densidad. Y es lo que está pasando ahora.

La idea de que los planetas más cercanos reciben más calor y luz y los más lejanos menos calor y luz, es una interpretación pero hay otras. Sin embargo, sí podemos afirmar que cada planeta posee un campo electromagnético propio que traduce las emisiones del Sol a su propia manera. Y eso es lo que lo hace que el planeta sea habitable o no, al menos en la 3D. No es la distancia, es la cualidad del planeta o su capacidad para convertir la emisión solar en energía nutritiva para la vida tal como la conocemos.

Venus y Marte, más cerca y más lejos del Sol que nosotros, han estado habitados hace mucho tiempo cuando poseían su propia atmósfera. Los acontecimientos naturales que degradaron sus atmósferas parece ser que fueron provocados por razas estelares en conflicto. Nuestro sistema solar ha sido el campo de batalla de diferentes razas y no siempre ha tenido el aspecto que tiene ahora. Han pasado muchas cosas en este rincón de la galaxia de las que no tenemos ni idea. No sé qué ocurrió pero estoy abierto a escuchar historias.

Si el modelo del átomo que te enseñaron en la escuela es obsoleto (partículas en órbita alrededor de un núcleo), imagina todo lo que te contaron del universo. Nos enseñaron que vivimos en un universo separado, deshabitado y hostil a la vida... una visión perfecta para hacernos sentir miserables sin ninguna esperanza de trascender, evolucionar y conectarnos con la divinidad. De paso, los de siempre nos aterrorizan con la amenaza de asteroides cada poco tiempo... y así consiguen el esclavo perfecto: ignorante y temeroso.

La ciencia, que por su parte sabe bien poco, te cuenta una ínfima parte de lo que sabe. Ahora mismo hay tecnología secreta no revelada para conseguir energía del éter de forma gratuita y no contaminante, tecnología para curar muchas enfermedades graves, tecnología para revertir el envejecimiento, energía para impulsar vehículos con agua, naves voladoras de impulso gravitacional (platillos volantes *made in* la Tierra)... etc. Pero no te lo dirán, quieren que vivas en la prehistoria.

Cuando veas un cohete, ríete, eso es como ir al espacio en bicicleta. Cuando subas a tu auto, ríete eso es como el coche de los *Picapiedra*. Utilizamos tecnología troglodita porque la humanidad está siendo retenida en su evolución.

Desclasificar las tecnologías secretas haría la vida demasiado fácil, barata y feliz; y no es eso lo que quieren para nosotros los controladores oscuros y sus títeres. Nos están estafando a un nivel que no puedes ni imaginar, es un auténtico crimen contra la humanidad. El Gran Engaño. Toda esa información y tecnología no revelada que llevaría a la humanidad a otra era, ya existe.

No hace falta que te diga que hay información verdadera y la hay falsa, y solo tú (hasta que la ciencia oficial deje de ser una herramienta para el control humano) podrás intuir cuál es correcta y aceptable para ti. Yo solo puedo decirte: investiga y medita, acepta y descarta, aprende y cuestiona,... tus paradigmas mentales se expandirán como no te imaginas y tu nivel de conciencia ascenderá. No podemos saber todo pero sí podemos abrirnos a la inmensidad.

NO ESTAMOS SOLOS

Sé que la cosmología puede llegar a provocar vértigo pero nos permite romper la limitada visión de nuestra percepción. Al principio, pensábamos con mente local, después nacional, llegó la global... y ya toca pensar en «modo interplanetario». Y no es broma, tienes la *exopólitica* (ciencia que trata sobre las relaciones entre humanos y extraterrestres) para darle contexto. No tiene sentido seguir mirándonos el ombligo, hay un universo no revelado esperándonos ahí arriba. Ciento de miles de razas cohabitando este universo.

Nunca estuvimos solos, muchos llegaron, no todos se fueron, algunos siguen aquí. No me cabe duda (las pruebas están por todas partes en el planeta) que hemos sido visitados por seres extraterrestres (por decenas de razas diferentes, unas parecidas a nosotros y otras no tanto). La historia está llena de pruebas e indicios grabados en piedra.

He viajado por todos los continentes y en casi todas las civilizaciones antiguas encuentras rastros de los «antiguos astronautas». Y su presencia sigue en la actualidad, a partir de los años cuarenta del siglo pasado, el interés de los visitantes por nosotros ha aumentado y los avistamientos también. Pienso que la comprensión de la historia de la humanidad no tiene sentido si no se considera la existencia, e influencia en nuestra historia, de civilizaciones extraterrenas. Del mismo modo que los humanos no podrán evolucionar si no incorporan la dimensión espiritual a la material.

Los avistamientos son continuos en todas partes del mundo y por muchas personas a la vez, hoy más nunca antes. El fenómeno se está haciendo tan frecuente que pronto las autoridades ya no podrán seguir ocultándolo y desclasificarán parte del material que retienen. Tendrán que reconocer su existencia y lo mucho que saben de ellos.

Si investigas un poco en la *exopolítica*, te sorprenderá descubrir tratos de gobiernos con seres de otros mundos. Testimonios de militares, políticos y científicos coinciden en ello. Encontrarás manifestaciones explícitas de testimonios de primera mano y con autoridad. Como mínimo EE.UU., Rusia e Israel han llegado a acuerdos con extraterrestres en diferentes momentos.

Por ejemplo, el propio Pentágono en 2020 publicó en Internet tres videos grabados por sus cazas de tres OVNI que reconocen: «no son de este mundo». Y muchos más vídeos y declaraciones de personas acreditadas.

Y aunque se supone que hemos recibido tecnología avanzada en estos acuerdos con los gobiernos, no parece que lo pactado haya sido siempre beneficioso para los humanos. Ahora no, pero un día sabremos sobre la existencia bases secretas extraterrestres en la Tierra activas a día de hoy, o que hay miles de visitantes infiltrados en nuestras sociedades civiles. Algún día se revelará lo que hay debajo de la superficie helada de la Antártida.

Algunos de estos visitantes han podido adaptarse a nuestra sociedad, conviven con nosotros sin ser detectados, su apariencia es indistinguible a la de un humano. No sé si esto te resultará inquietante o no, pero ya puedes hacerte a la idea que cuando se desclasifique la información que ahora nuestros gobiernos nos ocultan, se te pondrán los «ojos como platos».

Como relata el investigador Sixto Paz Wells, gran experto en el tema OVNI: «Son alrededor de sesenta civilizaciones extraterrestres las que llegan a la Tierra con las más variadas intenciones, y no todas vienen con buenas intenciones. A lo largo de la historia terrestre, ha habido más de una hibridación y mestizaje entre civilizaciones extraterrestres y seres humanos; también ha habido naufragios estelares, colonizajes y hasta deportación de extraterrestres a la Tierra, de tal manera que, si no se toma en cuenta el eslabón extraterrestre, la historia de la humanidad no se completaría jamás».

O como escribió el experto en ovnilogía, Salvador Freixedo: «Conocemos también el acuerdo principal que entonces llevaron a cabo con el gobierno de Estados Unidos siendo presidente Eisenhower y que consistía en que las autoridades permitirían a los extraterrestres tener algunas bases en la Tierra a cambio de que ellos nos entregasen tecnología muy innovadora. En el trato entraba también el permiso para hacer algunas pruebas con un muy reducido número de seres humanos».

El tema alienígena siempre ha estado presente en mi vida, tal vez porque se puso de moda allá en los años 60-70, los de mi infancia. Eran además, los años de la carrera espacial y del proyecto Apollo para alcanzar la Luna (hito totalmente fake por la dificultad de los cinturones de Van Allen, averigua qué es en Internet).

Para tu información, la palabra NASA en hebreo significa «engañar». Y su primer director, T.Keith Glennan, antes trabajó como director de los estudios de Paramount y MGM en Hollywood. Más tarde contrataron al gran cineasta Stanley Kubrick para rodar el *reality show espacial* de estudio que nos endosaron. También contrataron al mayor genio de ficción espacial: Arthur C. Clarke quien les vendía su desbordante imaginación. Con ellos dos el engaño resultó delirante.

Las misiones de las famosas sondas robóticas a Marte las ruedan en la isla de Devon (Canada), busca los vídeos en YouTube. Todo es un inmenso engaño. Ni fueron a la Luna ni enviaron ninguna sonda a Marte, ni es cierto lo que te cuentan de sus supuestas aventuras espaciales. La NASA es una productora de cine de ciencia ficción que maneja unos presupuestos públicos de escándalo (50 millones de dólares ¡al día!). La pregunta es qué hacen con todo ese dinero del contribuyente que dicen gastar, ahí está clave del misterio y su razón de ser. Hace años, me di un paseo por las instalaciones de la NASA en Cabo Cañaveral, Florida, y no me olió precisamente a *limpio,* fue mi sensación al menos. Me pareció un parque temático.

Por cierto, la Luna es un satélite muy extraño. En ningún modo cumple con los requisitos para ser un satélite *natural* pues diferentes leyes de la física prueban que ¡no debería estar ahí! En efecto, su tamaño es desproporcionado como satélite. Existen 162 satélites en nuestro sistema solar pero ninguno supera el 5% del tamaño del planeta que órbita. Pues la Luna es un 25% el tamaño de la Tierra. Pero lo más raro es el hecho de que oculte el Sol de forma milimétrica en los eclipses, (algo tan improbable como que un huracán arrase una chatarrería y arme un avión caza). Se ha evaluado que además está ¡hueca! pues resuena a los impactos como una auténtica campana. OMG. Más rarezas: siempre hay una misma cara de la Luna a nuestra vista y una oculta, con notables diferencias geológicas entre las superficies de ambas caras. Otro misterio: los cráteres de la Luna son muy superficiales, poco profundos y planos, como si una durísima corteza detuviera a los meteoritos.

¿Alguien *construyó* la Luna?, ¿alguien la puso ahí?, ¿a quién sirve y para qué fines?, ¿por qué hay tradiciones antiguas que hablan de la Tierra *antes y después de la Luna*?... mejor dejemos este tema a un lado por el momento. Algún día se revelará la verdad de este asunto.

De niño, recuerdo a mi padre coleccionar ciertos fascículos sobre el tema: *Cíclope, la incógnita del espacio* y que aún conservo. Mis padres nos llevaban al cine a ver cualquier película sobre el tema de los extraterrestres y la conquista del espacio, que por entonces eran bastantes.

Además, mi madre era lectora del gran especialista de la época en inteligencia extraterrestre, Erich Von Däniken. Un autor que lleva más de cincuenta años investigando y escribiendo sobre los «dioses que llegaron del espacio» en diferentes culturas o los «antiguos astronautas».

¿Puedes imaginar mi infancia entre películas y libros galácticos? ¿Aún crees que naciste en tu familia de modo casual? o ¿elegiste tu familia por alguna razón? De muy pequeño, me vi rodeado de infinidad de libros... Creo que hemos sido sembrados desde las estrellas en el lugar y tiempo idóneo.

Y esto no podrás creerlo: ¡mi padre filmó un largometraje!, como director amateur, de una aventura espacial... ¡en el que mis hermanos y yo éramos los protagonistas! Un film de Super 8, de una hora de duración, con su argumento, efectos especiales de ir por casa, doblaje, banda sonora, etc.

Por desgracia, esta película y otra anterior se perdieron en una mudanza. De todos modos, no creo que pudieras resistir verme disfrazado de astronauta, a mis diez años, y actuando ante la cámara. Ni tampoco formando parte de una réplica del gran engaño y evento propagandístico de 1969.

Estuche del video VHS de la película que protagonicé (soy el de abajo)

Y no protagonicé una película, sino ¡dos películas! (*Cita en el Espacio* y *Tarzán y los Buluwas*). Mi padre era muy creativo. Me pasé un par de veranos estudiando guiones cinematográficos y rodando en una casa de campo que poseían mis padres en Tarragona. Vamos, lo *normal* para un niño.

Hablar de extraterrestres es aún hoy en día incorrecto políticamente. Para mí, con esa infancia con un pie en esta galaxia y el otro en la galaxia vecina, resulta de lo más normal. Es posible que algunos se asombren o escandalicen por mencionarlo en este libro y no me importa lo más mínimo. Vivo en otra dimensión mental y no tengo que salvaguardar ningún prestigio personal o profesional. Yo ya he jugado y he ganado, no busco nada.

Claro que con mi infancia y todos esos libros y películas... qué se podía esperar de mí. Por cierto, en la película que protagonicé (*Cita en el Espacio*) los tres astronautas recibíamos un mensaje de dos extraterrestres de aspecto nórdico (un encuentro en la *tercera fase* en un planeta desconocido) que nos prevenían del futuro incierto de la humanidad por causa de nuestros excesos. Ya ves en qué andaba yo a los diez años... ya se podía ver que una vida muy normal de mayor no podía tener.

La vida extraterrestre es un tema silenciado por los contralores oscuros y sus agencias y títeres; porque, de revelarse, se les caería el «chiringuito» que han montado, entre otras cosas las religiones. Pronto se desclasificará todo ese material secreto y el mundo abrirá los ojos a la realidad: no solo no estamos solos en el universo sino que además no lo hemos estado desde el minuto cero. ¡Nosotros mismos somos de origen alienígena!

Las agencias espaciales rusa y norteamericana ocultan que cientos (ci-entos) de sus astronautas han tenido avistamientos de OVNI durante sus misiones (programas Mercury, Gemini, Apollo, Transbordador, Skylab, Estación Internacional, Soyuz, etc...) y a pesar de la prohibición de hablar, lo han confesado públicamente bastantes de ellos. Como dice el mayor experto mundial de la actualidad, Sixto Paz Wells: «El problema no son los visitantes del cosmos que puedan llegar, sino los que ya están aquí desde hace mucho». Y me temo que por todas partes.

La estrategia de ridiculizar a quien habla de temas incómodos para el establishment solo los ridiculiza a ellos mismos. Las doctrinas oficiales ya no les funcionan.

Te daré una prueba de cómo se contradicen. Resulta que EE.UU. promulgó una ley que prohibe a sus ciudadanos «tener contacto con extraterrestres». Como lo lees. En efecto, desde el 16 de julio de 1969: «Cualquiera que mantenga contactos con extraterrestres, o sus vehículos, será condenado a un año de cárcel, o a 5.000 dólares de multa». Ahora, si no existiesen otras razas, ¿por qué iban a aprobar una ley como esa? Piénsalo. Por no mencionar las reuniones de la cúpula de la administración de Eisenhower, en 1954, con diferentes razas alienígenas y sus pactos que tal vez aún sigan vigentes.

No solo reconocen su existencia de forma tácita, además llevan trabajado en «ingeniería inversa» sobre naves no terrestres recuperadas desde hace décadas en la famosa Área 51 y otras bases.

De esas negociaciones habrían surgido concesiones tecnológicas. Si no, ¿por qué crees que su ejército y algunas de las empresas norteamericanas son tan avanzadas tecnológicamente? Algunas tecnologías han llegado a la industria o al ejército y otras se guardan en estricto secreto. Cuando se revelen, la humanidad se quedará boquiabierta de la tecnología en salud, energía, trasporte... que nos han ocultado y estafado.

Si vamos unos milenios atrás en la historia llegamos a un hecho incómodo. La historia apócrifa que resulta de hallazgos arqueológicos (por ejemplo, tablillas de Sumer) describen la colonización de la Tierra por una raza que se extendió a todo el mundo desde Mesopotamia. Quién sabe si este es nuestro problema número uno (y del que nadie habla, porque es tan increíble que por esa razón pocos lo creen posible). Volveré a este tema.

En lo personal, contaba con información pero me sentía decepcionado porque nunca había tenido ningún avistamiento OVNI. Tampoco creo que se necesite una experiencia personal para saber que existen, hay testigos de sobra ¿no? Nunca había podido comprobarlo con una experiencia. Pero eso cambió el verano del 2020 en una tarde luminosa y despejada de agosto.

Lo cierto es que ese verano miles de personas tuvieron experiencias de avistamientos y de contactos. Muchos parecidos al mío por lo que vi en las redes sociales. Hago seguimiento en redes sociales del tema y me asombró comprobar cuanta gente vio, y grabó, lo mismo que yo vi. Encontré parecidos asombrosos que convirtieron lo extraordinario en ordinario.

Aquella tarde de verano estaba leyendo en la terraza de casa; y en un descanso en mi lectura, alcé la vista al cielo. Y sobre mí, a gran altura, avisté un grupo de media docena de luces muy brillantes, suspendidas en el aire, que aparecían y desaparecían como si entraran y salieran de esta realidad.

Estas civilizaciones son capaces de llegar hasta aquí, no porque viajen linealmente, sino transdimensionalmente.

Esas luces apenas se desplazaban, se limitaban a desaparecer para volver a aparecer (llegué a contar seis a la vez) y emitían un brillo espectacular. Flotaban silenciosamente a una gran altura (kilómetros sin duda). No vi naves, vi luces brillantes suspendidas en el cielo. De alguna forma, consiguen estar en diferentes dimensiones a la vez, parcialmente en la 3D pero mayormente en otra dimensión, de modo que desde aquí vemos luces, proyecciones, formas que entran y salen de este plano.

Eran fácilmente visibles por cualquiera, a pesar de que eran las siete de la tarde de un día claro y soleado de agosto. Al poco, empezaron a desplazarse en dirección a Barcelona, en grupo, de forma desordenada, en silencio, a una velocidad mayor a la de un avión, hasta que desaparecieron de mi vista.

Creo que salieron de esta densidad aunque no podría asegurarlo porque al desfilar hacia el Sol se hicieron indistinguibles por el deslumbramiento solar. En total, un par de minutos de avistamiento que me parecieron eternos por la intensidad de las sensaciones. Puedes imaginarte lo excitado que me sentía y lo mucho que me costó dormir esa noche. Es una experiencia de asombro absoluto. Pude grabarlo con mi teléfono móvil, aunque el video no quedó muy profesional.

En los meses siguientes, pude comprobar que apariciones muy parecidas se producían en diferentes partes del mundo. Pude hacer el seguimiento de videos a través de varios perfiles de redes sociales. Y siempre el mismo patrón: a plena luz del día, flotillas de puntos brillantes apareciendo y desapareciendo, a gran altura y rápido desplazamiento... No se trataba de algo puntual sino global.

No lo cuento para que me crean, eso me da igual. Yo sé que no eran aviones, drones, globos, ni satélites. Me fio más de mi intuición que de mis ojos. Mi mujer también lo vio. Y estoy seguro que muchas más personas en la zona también lo vieron. No creo más ahora en el fenómeno OVNI después de este suceso que antes. No va de creer o no, va de saber o no. Y siempre he sentido que existe vida extraterrestre. Y apuesto a que tú también. La vida en el universo es la norma, no la excepción.

Repito, la cuestión no es si existen o no. Eso es una obviedad, demasiadas culturas pasadas lo atestiguan de forma explícita. Esa es una pregunta ya superada y ya contestada. Ahora se trata de averiguar cuáles son sus agendas, si están mimetizadas entre nosotros, si disponen de bases en el planeta, si mantienen acuerdos con dos gobiernos/ejércitos, si están hibridando su raza con los humanos, si interfieren en nuestros asuntos, si se revelarán manifiestamente en el futuro, si van a entregarnos tecnología, cuántas razas diferentes nos visitan, cuantas razas están aquí, cuáles son sus intenciones, la red de túneles que usan, en qué federaciones se agrupan... Deberíamos pasar a otro nivel en el fenómeno OVNI.

La pregunta no es si existen o no, sino qué quieren.

Siempre me ha llamado la atención el mensaje negacionista sobre seres de otros mundos, por quienes creen en la llegada a la Luna en 1969. No solo no creo que hayamos llegado a la Luna, sino que estamos muy lejos de poder hacerlo en la actualidad. Y eso es lo gracioso: la gente se cree lo increíble (porque sale en la TV) y no cree en lo creíble. Hasta ese punto son poderosas las estrategias de manipulación mediática de las élites oscuras.

En este momento, hay tal adoctrinamiento que los buenos parecen los malos y los malos parecen lo buenos. Es el mundo al revés, es una vieja estrategia nazi que aplican a la perfección. Como estamos en el proceso de pasar de la *era de la ignorancia y la oscuridad* a la *era de la sabiduría y la luz*, tarde o temprano se va a desclasificar mucha información retenida sobre el tema OVNI. En su momento, tendremos acceso a lo que se sabe de los extraterrestres a día de hoy y que es mucho. No te quepa duda de que los visitantes han tenido un papel fundamental en la historia de la creación de nuestra especie y que seguimos bajo su control o su vigilancia. Esto resulta muy inquietante pero es hora de despertar a la realidad.

Creo que muchas razas nos observan (unas desde el plano material y otras no) unas son positivas y otras no. La razón por la que resultamos tan interesantes para razas visitantes regresivas es porque emitimos el tipo de energía que adoran y les sustenta: la energía del miedo. Nuestra oportunidad para liberarnos de su yugo consiste en elevar nuestra frecuencia vibracional y dejar de alimentarles. Y tal vez, información biológica de nuestro ADN o los recursos del planeta, quién sabe.

Desde Hollywood, las élites oscuras que controlan por completo la industria del *entertainment* han planificado la siembra indiscriminada de terror con infinidad de películas sobre invasiones de razas agresivas y de futuros distópicos. Las verdades se exponen en películas de supuesta *ciencia ficción*, es la llamada «programación predictiva», es su modo de entregarte la verdad pero escondiéndola en una quimera. Gozan anunciando las maldades que cometerán pero evitan que te prevengas de ellas disfrazándolas de ficción.

Y por cierto, el recurso final de los controladores oscuros para generar un colapso y acelerar su oscuro N.O.M. (Nuevo Orden Mundial) es una supuesta invasión alienígena para sembrar el terror e instaurar su dictadura mundial. O una amenaza de asteroide impactando contra la Tierra (La NASA se inventa peligrosos asteroides cada poco y evalúa el impacto social). O un nuevo virus ya sea inexistente o fabricado en sus laboratorios. O un nuevo grupo terrorista financiado por ellos mismos... Sus opciones son muy variadas y casi siempre eligen amenazas invisibles. ¿Por qué?, porque son inventadas. Eventos de «falsa bandera».

Tienen la tecnología holográfica del *Blue Beam* para ello (la misma que utilizaron tan exitosamente en el 11S). Esta tecnología está muy avanzada y puede hacer que veas lo que quieran que veas. De momento, disponen de este «as en la manga» para usar si hace falta. Van a la desesperada, así que si ves algo raro en el cielo, prepara palomitas, saca una hamaca y disfruta del espectáculo holográfico; pero sin exponerte, porque en sus montajes (y su especialidad de «ataques de falsa bandera») siempre hay víctimas inocentes.

No te creas la «película» que va de enfrentarnos con otras civilizaciones extraterrenas, sembrando el miedo con una supuesta invasión, para así militarizar el mundo. Las razas hostiles son las que han colaborado con la oscuridad, no sé si todavía presentes o no; y no las que nos visitan en la actualidad que son respetuosas para no interferir en nuestro proceso evolutivo. Creo que el gran problema no son los extraterrestres que puedan venir (probablemente benévolos y tal vez en nuestra ayuda) sino los que llegaron y están aquí desde hace mucho (regresivos) abduciendo a la élite oscura y a sus títeres; y abajo de todo, la humanidad, aguantando lo inaceptable.

NO SOMOS DE AQUÍ

Con sinceridad, ¿alguna vez has contemplado el cielo estrellado de la noche y has sentido añoranza? ¿Te has preguntado alguna vez dónde está tu hogar porque sientes que no encajas aquí? Hablo con muchas personas y algunas me han confesado que están en este mundo pero que no se sienten de él.

Soy un autor bastante radical porque la versión oficial no puede llevarme a la verdad. Suelo hacer lo contrario de la mayoría y siempre busco lo discordante. Yo siempre he buscado el éxito en todas las facetas de mi vida y siempre tuve claro que siguiendo a la mayoría no lo conseguiría. Es fácil ver que:

- El 90% de la gente vive con miedo.
- El 90% de la gente vive desde el ego.
- El 90% de la gente no es feliz.
- El 90% de la gente no es libre.
- El 90% de la gente no busca la verdad.
- El 90% de la gente se deja manipular.
- El 90% de la gente ignora su espíritu.
- El 90% de la gente está *dormida*.

Visto lo visto, llego a una primera conclusión:

> *Regla de oro: si a la mayoría no le va bien, no sigas a la mayoría.*

Si quieres que te vaya bien, le tienes que parecer un auténtico «marciano» a ese 90% de la población que sigue durmiendo. Mi consejo: cuanto menos convencional seas, mejor te irá.

Entremos en el tema. ¿Somos de este planeta? Ellis Silver, el autor de *Humans are not from Earth: a scientific evaluation of the evidence* argumenta que los humanos somos una especie sembrada en este planeta (de modo que aún no nos hemos adaptado biológicamente a este entorno) y aduce una serie de argumentos que me parecen muy interesantes y que dan mucho que pensar...

1. No estamos adaptados al Sol: nos deslumbra, enferma la piel, envejece... podríamos proceder de un planeta con menor radiación UV o intensidad solar. Sin embargo, los animales no parecen tener problemas con el Sol.
2. No podemos comer carne cruda o beber agua sin depurar porque nuestro estómago no produce suficiente ácido para neutralizar los patógenos. Pero los animales sí pueden hacerlo sin problemas para su salud.
3. La mayoría de los adultos desarrollan dolor de espalda, cuando las razas homínidas anteriores desconocían este problema. Tenemos una curvatura en la base de la espalda en sentido contrario a la de aquellos.
4. Nuestro ciclo circadiano es de casi 25 horas y no de las 24 horas de un día en la Tierra. Nuestros problemas de sueño podrían tener que ver con ese desajuste al que no nos hemos adaptado aún. Además dormimos menos que los primates y que otras muchas otras especies animales.
5. No sabemos distinguir las plantas tóxicas cuando el resto de especies sabe muy bien qué se puede comer y qué no. Podríamos estar desorientados ante especies vegetales desconocidas para nosotros (nuestro instinto programado aún para las de nuestro planeta de origen).
6. Somos una especie indefensa cuando nace, nuestra niñez es muy

larga y muy diferente de la mayoría de especies en las que los nacidos se desenvuelven por sí mismos con rapidez.

7. Sufrimos incontables enfermedades y por si fuera poco muchísimas alergias e intolerancias, enfermedades crónicas, carencias de nutrientes, como si nuestro organismo estuviera en un medio extraño para el que no está diseñado.
8. Nuestros partos son dolorosos, complicados, difíciles y hasta peligrosos, cuando entre los animales es mucho más sencillo y seguro.
9. Muchas especies del planeta son capaces de sentir, con antelación de días o de horas, un acontecimiento natural como un terremoto, un tsunami, un huracán, etc. Los humanos necesitamos herramientas técnicas para poder detectar las amenazas naturales, no estamos dotados de un instinto natural.
10. Nuestro ADN tiene una gran parte inutilizada o fuera de uso (lo llaman «ADN basura»). Nuestro cerebro trabaja por debajo del 10% de su capacidad. No queda duda que hemos sido manipulados genéticamente para menguar nuestras capacidades y no ser una amenaza para los creadores.
11. Envejecemos con degradación de facultades. Nuestra especie se degrada de forma acelerada y de forma diferente a como lo hacen los animales. En nuestra especie, una persona envejecida no solo está menguada de facultades sino que su aspecto es lastimoso.

Una nota aclaratoria sobre nuestro ADN: sabemos que solo usamos un 10% y el resto no. Se nos ha dicho que ese restante 90% del ADN es «basura» ¡que no sirve para nada! No te lo creas, la naturaleza es más sabia que los científicos, no hace nada de forma gratuita, todo tiene su sentido.

El 90% de la codificación genética está desactivada y no permitirán bajo ningún concepto que nos reconectemos porque seríamos demasiado poderosos para seguir siendo ignorantes, controlables y sumisos.

Estoy de acuerdo con el autor Ellis Silver en su hipótesis de que nuestro origen es extraterrestre, o al menos que hemos sido creados aquí por extraterrenos usando ADN de diferentes razas. Tal vez, nuestro ADN es un coctel de genes de docenas de razas extraterrenas. Sea como sea, somos una raza sembrada desde los niveles interiores a los niveles exteriores de la galaxia donde estamos.

Se ha dicho que hay civilizaciones que se dedican a esto: sembrar vida en planetas no habitados. Tal vez todas las razas del universo hayan sido sembradas por los dioses creadores (en plural y minúsculas) en algún momento. Ellis Silver piensa que llegamos de algún otro lado y que hay demasiadas señales que alertan sobre nuestra inadaptación a la Tierra. Él apunta una cincuentena, yo solo tomé las que más me llamaron la atención. Demasiados indicios en contra de la versión oficial.

¿Fue sembrada la vida en la Tierra?

Ahora me refiero a esa sensación de sentirse desubicado. ¿No te has sentido fuera de lugar en ocasiones? Yo también. ¿No te parece este planeta un auténtico manicomio? A mí también. Hablo con personas y muchas me reconocen la sensación que tienen de hallarse atrapadas en un lugar extraño. A veces, al caer la noche, miro el firmamento y siento nostalgia no sé bien de qué. ¿No te ha pasado?

Sentimos que no estamos solos en el universo. Algunos lo expresamos y otros se conforman con la versión oficial sobre nuestro origen, una explicación sin chispa divina, apagada. Algunos reportan la sensación de tristeza al sentir que su familia verdadera no es la humanidad, sino una comunidad estelar más avanzada espiritualmente. Sienten que son *hijos de las estrellas*, intuyen que fueron enviados aquí en una misión que tratan de recordar. En este sentido, se han manifestado infinidad de culturas ancestrales, tribus indígenas, que sabían bien de dónde procedían sus creadores (si les preguntas te señalan el cielo). Repasa la historia de culturas y civilizaciones ancestrales y sospecharás que han recibido conocimientos avanzados de inteligencias extraterrestres y que por ello adoran divinidades estelares. Las antiguas civilizaciones coinciden en explicar que los dioses bajaron del cielo y enseñaron a los humanos diferentes ciencias.

¿Fuimos creados por una civilización más avanzada y extraterrestre? El físico Ed Harrison lo tiene claro, la pregunta: «¿Quién creó este universo?», se responde: «Es sencillo, fue creado por seres superinteligentes que viven... en otro universo». Para él, los universos con vida inteligente crean nuevos universos porque en la inteligencia está la facultad de crear. Lector, imagina que al final de tu proceso evolutivo eres un ser tan avanzado espiritualmente que eres capaz de crear universos, planetas y razas que lo habiten... entras en la casta de la divinidad. Pues ves haciéndote a la idea, porque creo que por ahí van «los tiros» en el plan evolutivo. Así que si ahora mismo no eres capaz de resolver tus problemas mundanos, imagina lo mucho que te falta crecer para poder resolver los que se derivan de crear un universo nuevo ¡habitado!

Pero, ¿quién creó entonces el primer universo? La Presencia, la Fuente, la Divinidad sin principio ni fin. Creó un contexto (el universo primordial) y lo entregó a una proyección fractal de sí mismo que lo habitó. La proyección fractal evolucionó como una raza hasta que a su vez creó, por sus propios medios y capacidades, nuevos universos y nuevas razas para habitarlos. Y así el sistema se auto reproduce y expande hasta el infinito. Algún día será nuestro turno en ese proceso creativo sin fin. Somos fractales de la Fuente, es decir replicas de divinidad *fraccionada*. Nuestro destino: crear universos completos.

No sé que piensas tú pero tanto la *Teoría de la evolución* como el *dogma religioso de la Creación* me parecen dos fantasías. Me inclino más por una tercera vía: la creación o hibridación por entidades muy inteligentes. La teoría de la evolución no ha sido confirmada, sigue siendo una hipótesis formulada por Charles Darwin (un sujeto dudoso controlado por los oscuros). Además nunca se ha encontrado el *eslabón perdido,* porque no existe, y así el *darwinismo* es una manipulación más del cabal oscuro. Y el dogma creacionista de las religiones es una adaptación incompleta e interpretada (ejemplo, el libro del Génesis) de hechos históricos ya explicados en las tablillas de arcilla sumerias de las que te hablaré.

Aceptémoslo, los humanos hemos sido creados (fabricados) por una o varias especies alienígenas (que confundimos con dioses), con ADN de protohumanos y de vete a saber cuántas especies hibridadas del cosmos. Esa es la realidad.

¿Y las religiones? Siento compartir mi opinión al respecto: las tres religiones abrahámicas se diseñaron como instrumentos para la sumisión del ser humano, falseando las doctrinas originales de los grandes profetas para dirigirlas hacia la culpa, el miedo y la sumisión del individuo. Cristo, Buda y Mahoma, y muchos más, fueron reales, fueron maestros ascendidos, maestros de maestros... cuyo deslumbrante mensaje les fue imposible destruir; y por eso se desvirtuó por las élites oscuras controladoras para crear las estructuras religiosas bajo su control. La élites siempre reconvierten lo luminoso en oscuro: religiones, redes sociales, medios comunicación, política, negocios, democracia... le dan la vuelta a todo para que sea su arma de control para la sumisión. Han hecho de lo bueno algo malo, y de lo malo algo *bueno.*

Te prometí hablarte de Sumeria, actual Irak. En el siglo diecinueve se descubrieron, en una excavación en el palacio del rey Nabucodonosor en Ninivé (Siria), nada menos que veinticinco mil tablillas de arcilla escritas en caracteres cuneiformes con el registro de diversos hechos históricos y culturales. Posteriormente han aparecido miles más, aunque parece que la mayoría están destruidas, perdidas, robadas o acumulando polvo en el sótano de algún museo. Contienen valiosísima información sobre el origen de la humanidad. Hagamos volar la imaginación: ¿y si algunas tablillas explicaran el modo de crear un portal estelar? ¿Imaginas el valor de esa información y el interés en ocultarlo? Solo es una suposición. O no.

Lo que sabemos del descubrimiento de los textos sumerios grabados en tablillas de barro (Sumeria, actual Irak) nos revelan un origen muy distinto de la humanidad. Hubo un tiempo en que los visitantes extraterrenos convivían con los humanos que crearon e hibridaron. Los humanos, sus sirvientes, les consideraban dioses porque su tecnología y conocimientos eran tan avanzados que se hacían indistinguibles de la magia. Y a los visitantes (¿de Orión?) les iba muy bien que los consideraran divinos para que les ayudasen a cumplir su agenda de dominación.

Vete haciendo a la idea de que han habido varias humanidades reseteadas por un motivo u otro. Una de ellas, fueron los *Namlú*. Se dice que hace quinientos mil años aproximadamente, los *Kadistu* (en sumerio, los «ensambladores de vida» que sembraron de vida el planeta) crearon al ser humano perfecto (la humanidad primordial) al que llamaron *Namlú* (*inmensos seres humanos*). Esta raza era gigante (de unos cuatro metros), con un ADN de doce hebras activas, multidimensional, con capacidades psíquicas asombrosas que igualaban a las de sus creadores (de ahí el «A imagen y semejanza de Dios»). Vivían en perfecta armonía entre ellos y también con el planeta, tanto era así que en cierto momento ascendieron a dimensiones superiores y dejan atrás el plano 3D poblado por homínidos y otros animales. Se han encontrado múltiples restos óseos de gigantes (enterrados y en cuevas que se ocultan) en diversos lugares del planeta, a la vez que se han silenciado estos hallazgos por los controladores oscuros. Se dice que somos la quinta humanidad después de sucesivos *reseteos* o «puesta a cero del contador» por causas naturales y otras no.

Sí, lector han habido diversas humanidades, parece ser que esta es la quinta humanidad. Y hay indicios de al menos una catástrofe nuclear en la actual India, hace una docena de miles de años. La civilización humana es una más respecto a las cientos de miles que se estiman solo en nuestro cuadrante de la galaxia (uno de cuatro). ¿Sorprendido? Pues creo que no es ni la «punta del iceberg» de lo que desconocemos de nuestra historia. Formamos una enorme familia galáctica.

Si esta información se contrastase y se revelase públicamente, significaría una revolución científica, sociológica, religiosa y política. Lo más notable es que descubriría la dominación de la especie humana por parte de una raza de «dioses extraterrestres» y de sus testaferros, los «humanos híbridos» o la élite. Se expondrían las razones de la ruina de la humanidad en beneficio de una élite dominante, descendiente de aquellos que llegaron de las estrellas para dominarnos y también enseñarnos.

Volvamos a Mesopotamia, la tierra entre ríos. Allí se habrían creado, por parte de los Anunna provenientes supuestamente de Orión, diferentes versiones de *homo sapiens* con más y menos capacidad intelectual, con diferentes capacidades psíquicas, y diferentes ADN y tamaños (no menos de seis versiones diferentes). Suena a ciencia ficción, y sin embargo, todo esto y mucho más está escrito, hace miles de años, en las tablillas sumerias, acadias y babilónicas. Los escribas trabajaban para explicar su civilización, no eran autores de ciencia ficción.

Es verdad que hay mucho de interpretación en las traducciones disponibles pero te propongo que abras tu mente al respecto porque cuando sepamos la verdad, si es que eso ocurre, vamos a alucinar. Despídete de la idea de que estamos solos en esta galaxia, despídete de la idea de que no hemos sido visitados por muchas razas y despídete de la idea de que los seres de otros mundos no están afectando ahora mismo tu vida. Porque hay montañas de indicios, en todos los continentes y culturas, de que hemos sido diseñados, creados, enseñados y esclavizados por seres de otros mundos. Y nuestro problema no es que los extraterrestres vengan algún día, sino que se vayan de una vez del planeta y nos dejen en paz y se lleven a sus testaferros humanos de paso.

Regresemos a la cuenca del Éufrates y Tigris. Para no hacerlo largo, hace unos cuatrocientos cincuenta mil años llegaron a la Tierra los Anunna, huyendo de Orión, una especie muy avanzada con grandes conocimientos que crearon al ser humano actual manipulando genéticamente a los homínidos locales. Los visitantes Anunna, de avanzada tecnología pero de limitada evolución espiritual, serían los creadores de la actual especie humana inteligente (*homo sapiens*).

Como grandes genetistas, experimentaron con los homínidos para crear una raza suficientemente inteligente como para convertirla en sus servidores. Estos visitantes genetistas y dominantes crearon la especie humana con las limitaciones que tenemos en la actualidad (en inteligencia, en capacidades psíquicas, con parte del ADN bloqueado y longevidad mermada). Pero nos dotaron de inteligencia suficiente para poder servirles y adorarles como los dioses que parecían ser. Además, este es el lado positivo, nos transmitieron parte de sus conocimientos en diferentes ciencias.

Es por eso que cinco mil años a.c., la civilización sumeria aparece como de la nada, en Mesopotamia, y brilla con un elevado nivel de ciencia y civilización sin precedentes históricos... conocidos (recuerda que varias humanidades anteriores habían sido reseteadas y desaparecieron).

Durante su colonización del planeta, habrían creado varios linajes pero vamos a centrarnos en dos principales: primero, la especie (limitada) que somos hoy día; y segundo, la especie hibridada con su ADN que daría pie al linaje de poderosos gobernantes que se extenderían por todo el mundo y que nos controlan hasta la fecha de hoy (controladores oscuros o élites dueñas del mundo).

Y ahora ya sabes de dónde viene el problema de dominación que sufre la humanidad (globalismo, N.O.M., cabal, sociedades secretas, agenda 2030, Gran Reset... defendido por la élite y sus títeres políticos), de una estirpe elitista en origen hibridada con los Anunna. Un linaje sanguíneo amoral, dominante, depredador, egoísta y cruel que se inició en la clase sacerdotal que lideraba las sociedades antiguas y que continuó en las líneas de la realeza, nobleza, poder político, poder económico, poder religioso... a través de la historia hasta nuestros días.

¿Y tanta maldad de dónde salió? Si lees las famosas «Tablas Esmeralda» de Thoth el Atlante, lo descubrirás:

«*Profundo hurgaron ellos en lo prohibido, abrieron el portal que llevaba hacia abajo. Buscaron ellos ganar aún más conocimiento pero buscando traerlo desde abajo.* [...] *Abrieron ellos, entonces caminos prohibidos al hombre.*[...] *Los Atlantes, por su magia, abrir el portal que traería a la Tierra una gran tragedia.* [...] *Buscaron desde el Reino de las sombras destruir al hombre y gobernar en su lugar*».

En pocas palabras, la civilización anterior a la nuestra, sedienta de más poder, recurrió a la magia negra que abrió portales a la 4D baja, o a otros universos, desde donde entidades arcónticas entraron en el plano 3D en el que siguen manipulando a los amorales linajes híbridos de poder que nos controlan. En efecto, la pura maldad gobierna la Tierra, siento darte esta pésima noticia. Estamos gobernados por fuerzas que ni siquiera son de aquí.

En resumen, estamos controlados por un triple mal: entidades arcónticas del bajo astral, razas regresivas extraterrenas, élite híbrida controladora oscura. Nos conviene rezar. ¿Entiendes porque la historia humana es un auténtico desastre? Ahora sabrás por qué nuestras penas parecen no tener fin. Ya sabes qué bota aplasta nuestro cuello. Y si no lo resolvemos ahora, vamos camino de convertirnos en una nueva humanidad fallida que deberá resetearse para dar paso a una sexta intentona.

¿Es todo esto una película mental? Quién sabe, seguramente la verdad es mucho más compleja e increíble (terrible). Lo que sin duda es un cuento chino es lo que nos ha contado el *establishment*, la versión oficial.

Las mencionadas tablillas de arcilla de Sumeria son un descubrimiento reciente, vieron la luz hace poco más de un siglo. Muchas se han perdido, otras se han destruido por el paso del tiempo y muchas más se han confiscado, ocultado o vendido en el mercado negro de antigüedades. El resto están desperdigadas por museos de EE.UU., Francia, Alemania, Inglaterra, Irak... Aun así, nos han llegado decenas de miles de tablillas que se han traducido y que aluden a diferentes temas, entre ellos el origen de la humanidad. Esto es un hecho incontestable.

Lo que en las tabletas sumerias está escrito son secretos no revelados que ponen en tela de juicio la versión oficial de la historia, incluso sus religiones. Su aportación al conocimiento de la humanidad es tan revolucionario que las élites oscuras se han ocupado de ocultarlo. Es significativo que las religiones y gobiernos rechacen los textos sumerios cuando explican la creación del ser humano, por ejemplo, pero no rechacen las aportaciones que exponen su avanzada astronomía, medicina, matemáticas... etc. que coinciden con lo que hoy sabemos.

Si quieres conocer una versión diferente del origen de nuestra especie, respecto a la que te han contado, investiga sobre Sumer y las traducciones de las tablillas de arcilla grabadas en caracteres cuneiforme. Sus mitos fueron heredados y completados más tarde por: los acadios, los babilonios, los egipcios y desde allí se extendieron al resto de civilizaciones y religiones. Hay mucho que contar de esta civilización sumeria que conoció y convivió con los «dioses visitantes», pero eso ya sería material para dedicarle un libro entero.

¿Fue así o fue de otra manera? Yo no lo sé. Obviamente tengo mis creencias basadas en la infinidad de lecturas sobre estos temas (algunas sin credibilidad y otras con absoluta credibilidad; recuerda que sé cómo validar la verdad de una información). Solo te sugiero que no te tragues lo que cuenta la versión oficial. Nada es lo que parece y ya sabes que vivimos en un inmenso engaño. Cuando la humanidad *despierte* y atisbe, al menos, la mitad de lo ocultado, no podrá creerlo. Prepárate para ese momento y así aliviar el *shock* mental, será colosal.

En este libro no puedo contar ni todo lo que sé, ni todo lo que desconozco que es mucho más. Tan solo cuestiono lo que nos han contado y busco los *secretos no revelados* que harán que encajen todas las piezas. Lector, no te creas nada de este libro, haz tú lo mismo: investiga, experimenta, busca y forja un criterio propio. No soy historiador, ni científico, ni politólogo, ni físico, ni astrónomo... solo soy un escritor que comparte experiencias y opiniones. Lo que plasmé en este libro solo es la síntesis de un alud de información que he creído comprender.

Creo que antes de morir, todos deberíamos esforzarnos por conocer la verdad. He escuchado versiones apócrifas de la historia humana que me cuadran mucho más con lo que estamos viviendo ahora mismo. Y no me creo lo que estudié en la escuela, ocultan una realidad que el común de los humanos no podemos ni imaginar.

Sintetizando las ideas poderosas de esta lectura, quisiera que recordaras que no podrás explicarte la vida y su sentido, ni progresar como ser, ni comprender la humanidad y sus vicisitudes, si antes no:

1. Asumes que vives en un platea granja donde se cosechan humanos.
2. Entiendes que una élite oscura domina el planeta.
3. Introduces el factor espiritualidad en cada aspecto de tu vida.
4. Entiendes que eres un ser vibracional y multidimensional.
5. Amplias tu cosmovisión inclusiva a otras razas extraterrenas.
6. Aceptas tu única misión de vida: despertar y evolucionar espiritualmente.

Puedo sentir cómo al leer esta última página, te invade la sensación de pertenecer a las estrellas. Y entiendo que reclames una vida pacífica, sabia y avanzada espiritualmente. Es una extraña sensación de melancolía y añoranza por descubrir la verdadera identidad como «semilla estelar». ¿Reconoces el deseo de volver a nuestro origen sagrado? Si es así, entonces ya somos dos.

BIBLIOGRAFÍA

Te aconsejo una mente abierta, lee según tu propio criterio y después observa el mundo y une los puntos. Verás cosas que antes eran invisibles para ti. También te aconsejo meditar cada día para elevar tu frecuencia vibratoria, los contenidos de estas lecturas son chocantes en algunos casos. Los libros que te sugiero abajo para entender los desafíos que enfrentamos. Hay muchos más libros en el mercado si quieres ampliar detalles, pero te aseguro que estas lecturas te apasionarán por lo reveladoras que resultan:

- *El despertar del león* - David Icke (todos sus mega libros son recomendables)
- *La verdadera historia del Club Bilderberg* - Daniel Estulin
- *Teovnilogía* - Salvador Freixedo
- *La granja humana* - Salvador Freixedo
- *Área 51* - Annie Jacobsen
- *Extraterrestres* - Rafael Palacios
- *La historia secreta de Hollywood* - Rafael Palacios
- *Lo que sé de mi* - Shirley MacLaine
- *Mensajeros del alba* - Barbara Marciniak
- *Recuperar el Poder* - Barbara Marciniak

- *Tierra* - Barbara Marciniak
- *Alquimia de las 9 dimensiones* - Barbara Hand Clow
- *El enigma de los círculos* - Vicente Fuentes
- *The energies of crop circles* - Lucy Pringle
- *Despertar en la 5D* - Maureen St. Germain
- *Activating your 5D frequency* - Judith Corvin
- *La verdad sobre los arcontes* (libros 1, 2, 3) - Jaconor 73
- *Gobierno mundial* - Esteban Cabal
- *Enki, padre de la humanidad* - David Parcerisa
- *La historia empieza en Sumer* - Samuel Noah Kramer
- *Anunnaki* (trilogía) - Henry Krane
- *La conspiración reptiliana* - Jose Luis Camacho
- *La verdad de la pandemia* - Cristina Martin Jimenez
- *La patria traicionada* - Laureano Benitez
- *Shungit, extrema protección* - Nicolas Almand
- *Shunguita, energía de vida* - Regina Martino
- *The Power of auras* - Susan Chumsky
- *Despierta tu intuición divina* - Susan Chumsky
- *Ascensión* - Susan Chumsky
- *Human Tuning* - John Beaulieu
- *El poder contra la fuerza* - David R. Hawkins
- *Trascender los niveles de conciencia* - David R. Hawkins
- *Recuerdos del futuro* - Eric Von Däniken
- *Apollo moon hoax* - Trevor Weaver
- *Who built the Moon?* - Christopher Knight
- *Técnicas de protección energética* - Victor Manuel Fernandez
- *La salud prohibida* - Andreas Kalcker
- *Plandemia 2020* - Zamna
- *Close Encounters of the 5th kind* - Dr. Steven Greer - video en Amazon Prime Video
- Canal *Matrix Revelada* de la plataforma lbry.tv Enlace aquí: https://lbry.tv/@MatrixRevelada:8

CONOCE AL AUTOR

Webs del autor:

www.elcodigodeldinero.com
www.raimonsamso.com
www.institutodeexpertos.com
www.tiendasamso.com
http://raimonsamso.info
https://payhip.com/raimonsamso
https://linktr.ee/raimonsamso

Síguele en:
Canal Telegram https://t.me/sabiduriafinanciera

instagram.com/raimonsamso
youtube.com/Raimonsamso
pinterest.com/raimonsamso

www.raimonsamso.com

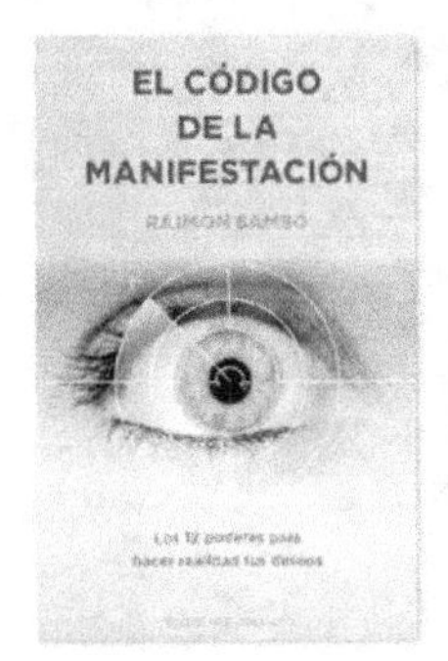

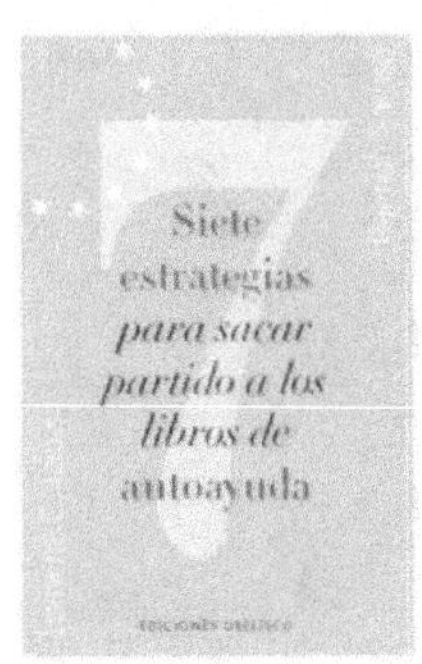

www.raimonsamso.com